Hailey

LANGUE ET PRATIQUE

Cahier de consolidation

G. Robert McConnell   **Rosemarie Giroux Collins**

Addison-Wesley
Une rubrique de Addison Wesley Longman ltée

Don Mills, Ontario • Reading, Massachusetts • Harlow, Angleterre
Glenview, Illinois • Melbourne, Australie

Remerciements

Nous tenons à remercier ces enseignants et enseignantes pour leur précieuse contribution à ce projet.

Donna Abbruzzese
Andrea Bellman
Marlene Bilkey
Georgette Bolger
Nereo Bonomo
Louisa Brescacin
Astrid Budd
Rochelle Champagne
Danielle Chester
Teresa Costanzo
Rose Falvo
Lori Girard
Marieanna Hill
Lyn Hinchliffe
Robbie Iles
Robert Jamison
Suzanne Karwowski
Natalie Kirolos
Jadwiga Kreczko
Mary Lancione
Sylvie Lapointe
Carole Lasnier

Milla Liska
Trish Lorenc
Mary Lisa Martini-Troriani
Peggy McFadden
Jacqueline Mollaret
Sylvie Morel-Foster
Gayle Patterson
Mike Pellegrino
Lori Prest
Murielle Richard
Ann Marie Santoro
Kevin Sheehan
Jan Shepherd
Mary Ann Susac
Laurian Taler
Audrey Taylor-Herr
Oriana Trevisan
Gina Vigna
Nicole Viren
Lynn Wagner
Margaret Winkel

CONCEPTION GRAPHIQUE : Pronk&Associates

COUVERTURE : Pronk&Associates

MISE EN PAGE : Pronk&Associates

ILLUSTRATIONS : Graham Bardell, Dayle Dodwell, Bernadette Lau

ISBN 0-201-47791-2

2 3 4 5 6 WC 03 02 01 00

Table des matières

THÈME 0 : Mes premiers pas   1

THÈME 1 : Les animaux de compagnie   17

THÈME 2 : La télévision   33

THÈME 3 : Les clowns   49

THÈME 4 : Les héros   64

THÈME 5 : Les pattes   79

THÈME 6 : Les pas   94

THÈME 7 : Dans la forêt   109

THÈME 8 : Dans une île   125

RÉFÉRENCE   141

LEXIQUE   149

Mes premiers pas

Dans la salle de classe

Personnes

un garçon/un élève		un professeur	
une fille/une élève		une professeure	

Objets

une agrafeuse		des ciseaux	
une brosse		la colle	
un bureau		une craie	
un cahier		un crayon	
une cassette		un crayon à colorier	
une chaise		une fenêtre	

une feuille de papier

un jeu

un livre

un magnétophone

un magnétoscope

un mur

un ordinateur

une porte

un pupitre

une règle

un rétroprojecteur

un stylo

un stylo-feutre

une table

un tableau

un tableau d'affichage

un taille-crayon

un téléviseur

un trombone

une vidéocassette

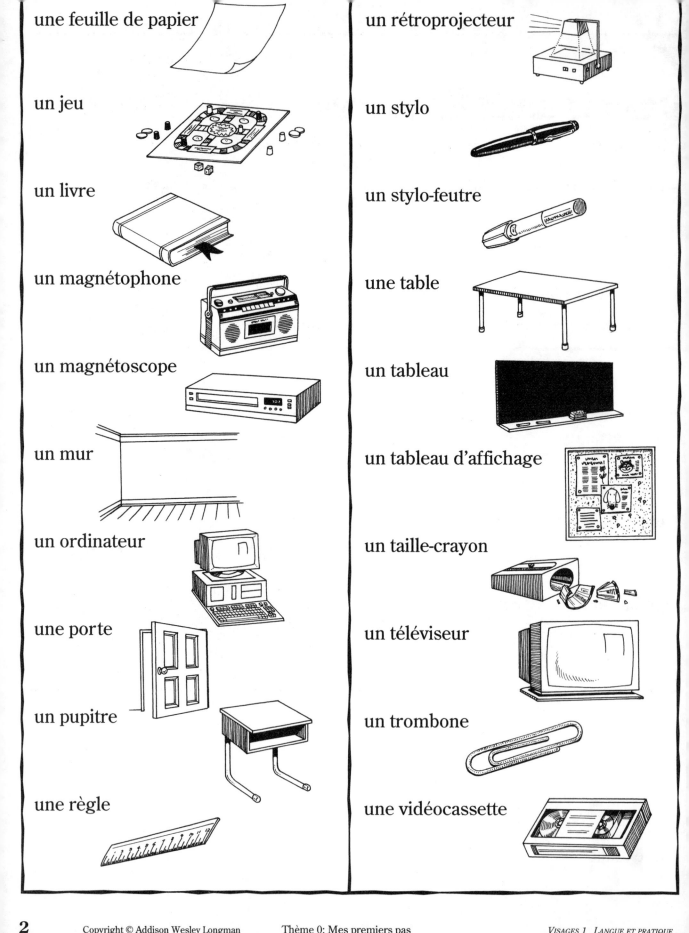

       Thème 0: Mes premiers pas   *VISAGES 1 LANGUE ET PRATIQUE*

Activités

J'affiche.

Je chante.

Je colorie.

Je compte.

Je danse.

Je découpe.

Je dessine.

J'écoute.

J'écris.

Je lis.

J'observe.

Je parle français.

Bonjour!

Je travaille en groupe.

Les nombres

0	zéro	5	cinq	9	neuf
1	un	6	six	10	dix
2	deux	7	sept	11	onze
3	trois	8	huit	12	douze
4	quatre				

A La danse des éléphants

Écoute bien la chanson. Chante et fais les gestes.

B Allô!

Écoute bien les numéros de téléphone.
Écris chaque numéro.

1. 5 4 9 – 7 1 3 0

2. 6 2 4 – 3 9 8 0

3. 1 4 3 – 7 5 5 6

4. 7 8 9 – 1 2 3 4

5. 6 0 4 – 3 9 8 2

Trouve la solution.

et (+)	moins (−)	font (=)

1. Un et un font _deux_ .

2. Trois moins deux font _un_ .

3. Quatre et quatre font _huit_ .

4. Dix moins trois font _sept_ .

5. Trois et deux font _un_ .

6. Douze moins deux font _dix_ .

7. Trois et six font _neuf_ .

8. Onze moins huit font _trois_ .

9. Six et six font _douze_ .

10. Douze moins un font _onze_ .

11. Zéro et quatre font _quatre_ .

12. Six moins zéro font _six_ .

((‿))

Maintenant, pose des questions à ton ou ta partenaire.

– Combien font un et un?   – Combien font trois moins deux?
– Un et un font deux.   – Trois moins deux font un.

- Salut! **Comment t'appelles-tu?**
- **Je m'appelle** Robert.
- **Quel âge as-tu?**
- **J'ai** neuf **ans.**

- Salut! **Comment t'appelles-tu?**
- **Je m'appelle** Lise.
- **Quel âge as-tu?**
- **J'ai** dix **ans.**

- **Comment s'appelle-t-il?**
- **Il s'appelle** Robert.
- **Quel âge a-t-il?**
- **Il a** neuf **ans.**

- **Comment s'appelle-t-elle?**
- **Elle s'appelle** Lise.
- **Quel âge a-t-elle?**
- **Elle a** dix **ans.**

D Salut, les amis!

Écoute bien les présentations.
Présente-toi à la classe.

Maintenant, pose des questions à ton ou ta partenaire.

– Comment t'appelles-tu?
– Je m'appelle Sophie.

– Quel âge as-tu?
– J'ai huit ans.

Quel âge as-tu?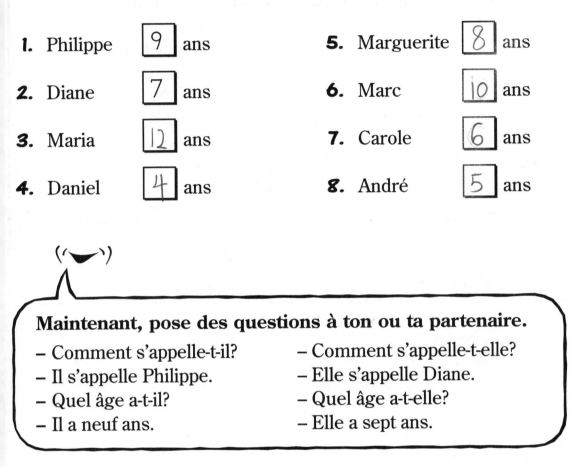

Écoute bien les conversations. Quel âge a chaque personne?
Écris le numéro dans la bonne case.

1. Philippe [9] ans

2. Diane [7] ans

3. Maria [12] ans

4. Daniel [4] ans

5. Marguerite [8] ans

6. Marc [10] ans

7. Carole [6] ans

8. André [5] ans

Maintenant, pose des questions à ton ou ta partenaire.

– Comment s'appelle-t-il?
– Il s'appelle Philippe.
– Quel âge a-t-il?
– Il a neuf ans.

– Comment s'appelle-t-elle?
– Elle s'appelle Diane.
– Quel âge a-t-elle?
– Elle a sept ans.

▶ Garçon ou fille?

Il ou **Elle**?

1. _Il_____ s'appelle Louis.

2. _Elle_____ s'appelle Alice.

3. _____ s'appelle Simon.

4. _____ s'appelle Anne.

5. _____ s'appelle Lise.

6. _____ s'appelle Luc.

7. _____ s'appelle Paul.

8. _____ s'appelle Julie.

9. _____ s'appelle David.

10. _____ s'appelle Nathalie.

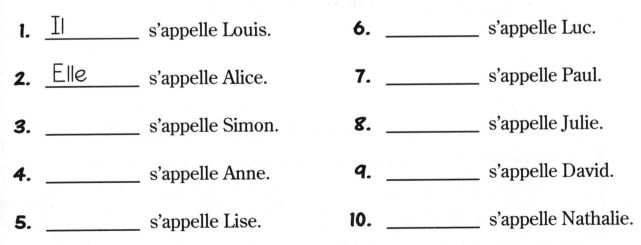

L'alphabet français

A, *c'est pour Anne.*
B, *c'est pour Bernard.*
C, *c'est pour Céline.*
D, *c'est pour Daniel.*
E, *c'est pour Estelle.*
F, *c'est pour Fabien.*
G, *c'est pour Giselle.*
H, *c'est pour Henri.*
I, *c'est pour Isabelle.*
J, *c'est pour Jules.*
K, *c'est pour Karl.*
L, *c'est pour Louise.*
M, *c'est pour Marie.*

N, *c'est pour Normand.*
O, *c'est pour Olivier.*
P, *c'est pour Pauline.*
Q, *c'est pour Quentin.*
R, *c'est pour Rose.*
S, *c'est pour Simon.*
T, *c'est pour Thomas.*
U, *c'est pour Ursule.*
V, *c'est pour Victor.*
W, *c'est pour Wilfrid.*
X, *c'est pour Xavier.*
Y, *c'est pour Yvette.*
Z, *c'est pour Zoé.*

G Pardon?

Écoute les conversations. Écris chaque nom.

1. R I C H A R D
2. J A C Q U E L I N E
3. _ _ _ _ _ _ _
4. _ _ _ _ _ _ _ _ _
5. _ _ _ _ _ _ _
6. _ _ _ _ _ _

Maintenant, pose des questions à ton ou ta partenaire.

– Comment s'appelle-t-il?
– Il s'appelle Richard.
– Pardon?
– Richard. R-I-C-H-A-R-D.

– Comment s'appelle-t-elle?
– Elle s'appelle Jacqueline.
– Pardon?
– Jacqueline. J-A-C-Q-U-E-L-I-N-E.

Thème 0: Mes premiers pas
VISAGES 1 LANGUE ET PRATIQUE

Ça va?

Comment ça va?

Écoute bien les conversations. Identifie chaque réponse.
Écris le numéro dans la bonne case.

Les visages

Écoute bien les conversations.
Dessine l'expression de chaque visage.

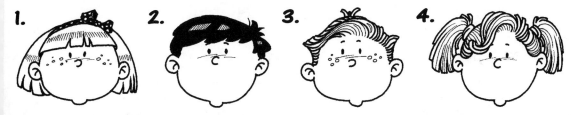

1.   2.   3.   4.

Les jours de la semaine

Monday Tuesday Wednesday thursday friday saturday

lundi **mardi** **mercredi** **jeudi** **vendredi** **samedi** **dimanche**
Sunday

- **Quel jour est-ce?**
- **C'est** lundi.
- C'est mardi?
- Oui, c'est mardi.
- C'est jeudi?
- Non, c'est mercredi.

◆ À compléter...

Écris les jours de la semaine.

1. mercredi
jeudi
vendredi

5. _dimanche_
lundi
mardi

2. _mercredi_
jeudi
vendredi

6. lundi
mardi
mercredi

3. jeudi
vendredi
samedi

7. samedi
dimanche
lundi

4. jeudi
vendredi
samedi

8. _jeudi_
vendredi
samedi

Maintenant, pose des questions à ton ou ta partenaire.
– Quel jour est-ce?
– C'est jeudi.

Thème 0: Mes premiers pas
Visages 1 Langue et pratique

La date et les anniversaires

- **Quelle est la date** aujourd'hui?
- C'est **le premier octobre.**

- **Quelle est la date** aujourd'hui?
- C'est **le deux octobre.**

- **C'est quand** ton anniversaire?
- C'est **le quinze mars.**

- Ton anniversaire est **en septembre?**
- Non, mon anniversaire est **en décembre.**

Les mois de l'année

janvier *January*
février *Feburay*
mars *March*
avril *April*
mai *May*
juin *June*
juillet *July*
août *augest*
septembre *september*
octobre *october*
novembre *november*
décembre *december*

Les nombres

1er premier	13 treize	23 vingt-trois
2 deux	14 quatorze	24 vingt-quatre
3 trois	15 quinze	25 vingt-cinq
4 quatre	16 seize	26 vingt-six
5 cinq	17 dix-sept	27 vingt-sept
6 six	18 dix-huit	28 vingt-huit
7 sept	19 dix-neuf	29 vingt-neuf
8 huit	20 vingt	30 trente
9 neuf	21 vingt et un	31 trente et un
10 dix	22 vingt-deux	
11 onze		
12 douze		

Hourra pour les anniversaires!

Écoute bien la chanson. Chante et fais l'action qui marque
le mois de ton anniversaire.

Lève-toi!

Lève les mains!

Claque des doigts!

Tape des mains!

Youppi!   Hourra!

C'est moi!   Bravo!

◆L La date, s'il te plaît!

$\frac{14}{14}$

Écoute bien les conversations. Quelle est la date d'anniversaire?
Coche (✓) la bonne case.

1. [✓] le 21 octobre   [ ] le 31 octobre

2. [ ] le 1er janvier   [✓] le 11 janvier

3. [ ] le 15 mars   [✓] le 16 mars

4. [✓] le 27 septembre   [ ] le 17 septembre

5. [ ] le 20 février   [✓] le 12 février

6. [✓] le 13 avril   [ ] le 3 avril

7. [ ] le 14 décembre   [✓] le 24 décembre

8. [ ] le 29 juillet   [✓] le 19 juillet

◆M Le calendrier

Écoute bien les conversations. Quelle est la date?
Écris le bon numéro.

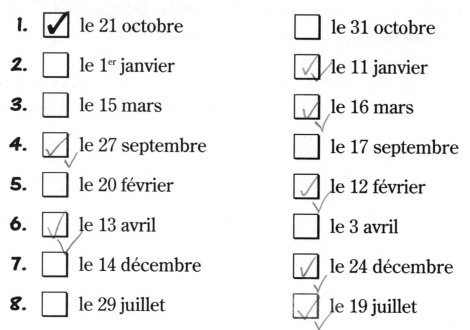

1. mardi **16** août

2. lundi **9** ✓ novembre

3. dimanche **13** ✓ mars

4. mercredi **3** ✓ janvier

5. samedi **21** ✓ avril

6. jeudi **17** ✓ juin

7. vendredi **31** ✓ mai

8. lundi **24** ✓ décembre

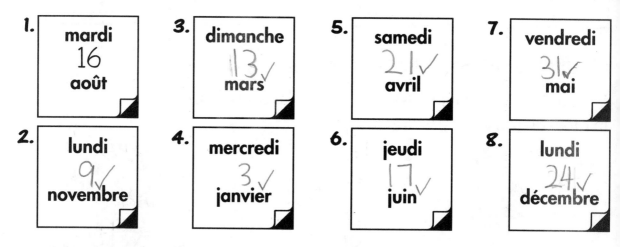

Maintenant, pose des questions à ton ou ta partenaire.
– Quelle est la date?
– C'est le mardi seize août.

Thème 0: Mes premiers pas   *VISAGES 1 LANGUE ET PRATIQUE*

Bonne fête!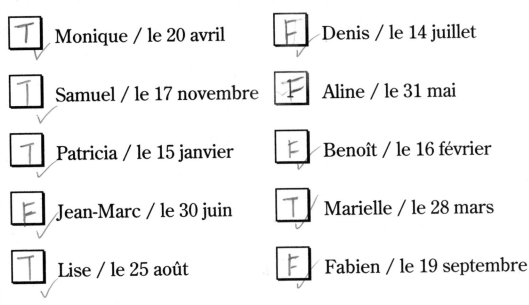

10/10

Écoute bien les dates d'anniversaire. Identifie chaque personne.
Écris le numéro dans la bonne case.

| T | Monique / le 20 avril | F | Denis / le 14 juillet |

| T | Samuel / le 17 novembre | F | Aline / le 31 mai |

| T | Patricia / le 15 janvier | F | Benoît / le 16 février |

| F | Jean-Marc / le 30 juin | T | Marielle / le 28 mars |

| T | Lise / le 25 août | F | Fabien / le 19 septembre |

Mots croisés: Les mois de l'année

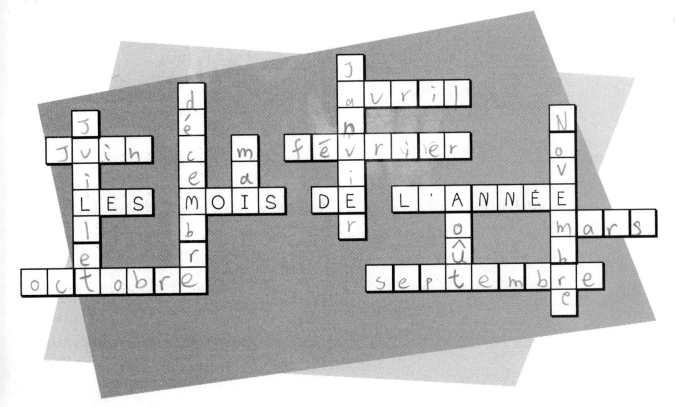

Je m'appelle : _____

ⓟ Anniversaires-Amis

Collectionne des autographes!

– C'est quand ton anniversaire?
– C'est le 18 novembre.
– Ton autographe, s'il te plaît. ... Merci!

Cherche un autographe pour chaque mois!

Autographe	Date d'anniversaire
Sierra	le 30 janvier
X	le X février
Katya	le 23 mars
Grace and Sara	le 26 avril
Dylan M.	le 27 mai
Cassidy	le 12 juin
X	le X juillet
X	le X août
	le _____ septembre
Aaliyah	le 18 octobre
Kai	le 29 novembre
Max	le 10 décembre

Thème 0: Mes premiers pas   *VISAGES 1 LANGUE ET PRATIQUE*

La météo

Quel temps fait-il?

(nice) e fate bow
Il fait beau.

(cold) e fate fua
5° Il fait froid.

(cloudy) say u-na-ga
C'est nuageux.

30° (hot) e fate show
Il fait chaud.

(sunny) e fate de
Il fait du soleil.

(raining) e plu
Il pleut.

(cool) e fate
Il fait frais.

(windy) e fate de von
Il fait du vent.

(snowing) e nage
Il neige.

Météo-Canada

Écoute bien le reportage. Quel temps fait-il dans chaque ville?
Coche (✓) la bonne case.

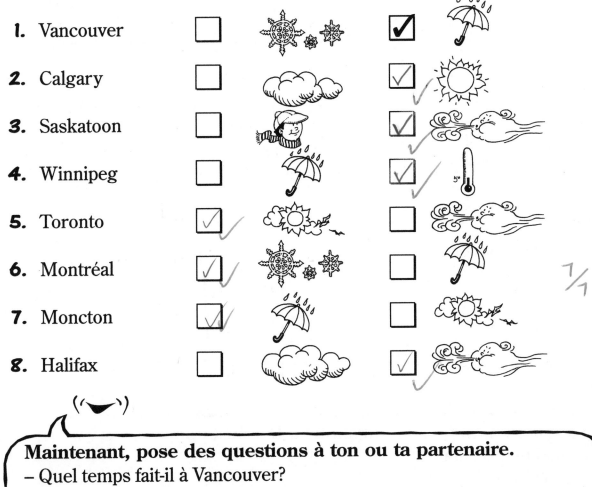

1. Vancouver

2. Calgary

3. Saskatoon

4. Winnipeg

5. Toronto

6. Montréal

7. Moncton

8. Halifax

7/7

Maintenant, pose des questions à ton ou ta partenaire.
– Quel temps fait-il à Vancouver?
– Il pleut.

La météo en images

Quel temps fait-il?

1. Il fait beau .

2. Il fait du soleil .

3. Il fait chaud ✓ .

4. Il fait du vent ✓ .

5. Il fait frais ✓ .

6. C'est nuageux ✓ .

7. Il pleut ✓ .

8. Il neige ✓ .

1/1

☐ C'est nuageux.

☑ Il fait beau.

☐ Il fait chaud.

☐ Il fait du soleil.

☐ Il fait du vent.

☐ Il fait froid.

☐ Il neige.

☐ Il pleut.

Maintenant, pose des questions à ton ou ta partenaire.
– Quel temps fait-il?
– Il fait beau.

Les animaux de compagnie

1

E 4-5

Mon langage actif 1

- Qu'est-ce que c'est?
- **C'est un** chien.

- Qu'est-ce que c'est?
- **C'est une** gerbille.

Les animaux se présentent!

Écoute bien les présentations. Identifie chaque animal.
Coche (✓) la bonne case.

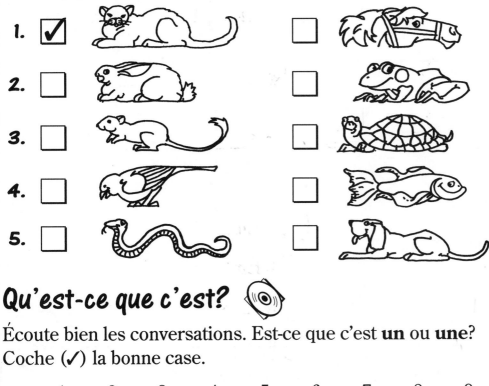

1. ✓
2. ☐
3. ☐
4. ☐
5. ☐

Qu'est-ce que c'est?

Écoute bien les conversations. Est-ce que c'est **un** ou **une**?
Coche (✓) la bonne case.

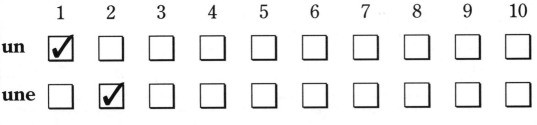

	1	2	3	4	5	6	7	8	9	10
un	✓	☐	☐	☐	☐	☐	☐	☐	☐	☐
une	☐	✓	☐	☐	☐	☐	☐	☐	☐	☐

Je m'appelle : _____

◆C C'est toi l'artiste!

Complète les dessins. Qu'est-ce que c'est? Identifie chaque animal.

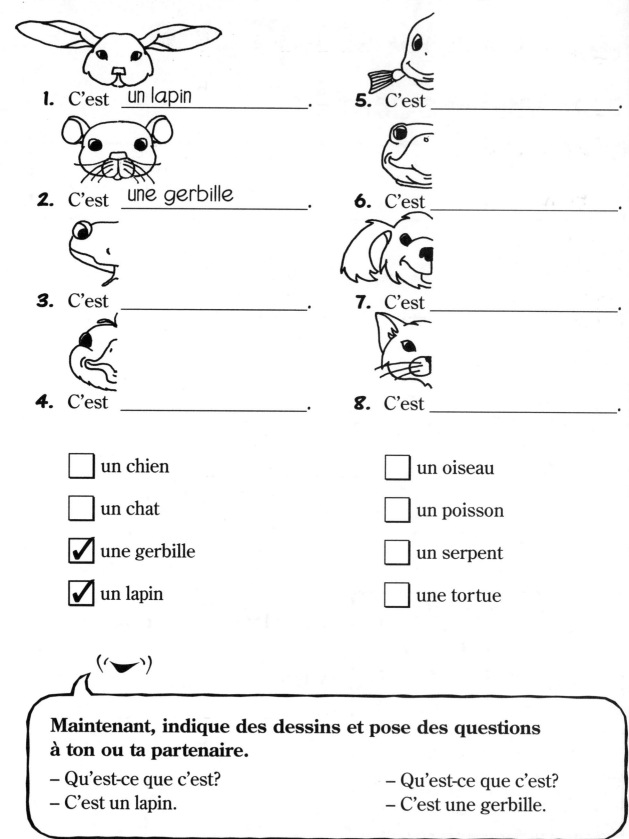

1. C'est *un lapin* _____.

2. C'est *une gerbille* _____.

3. C'est _____.

4. C'est _____.

5. C'est _____.

6. C'est _____.

7. C'est _____.

8. C'est _____.

☐ un chien

☐ un chat

☑ une gerbille

☑ un lapin

☐ un oiseau

☐ un poisson

☐ un serpent

☐ une tortue

Maintenant, indique des dessins et pose des questions à ton ou ta partenaire.

– Qu'est-ce que c'est?
– C'est un lapin.

– Qu'est-ce que c'est?
– C'est une gerbille.

 Thème 1: Les animaux de compagnie *VISAGES 1 LANGUE ET PRATIQUE*

Vocabulaire en images

Qu'est-ce que c'est?

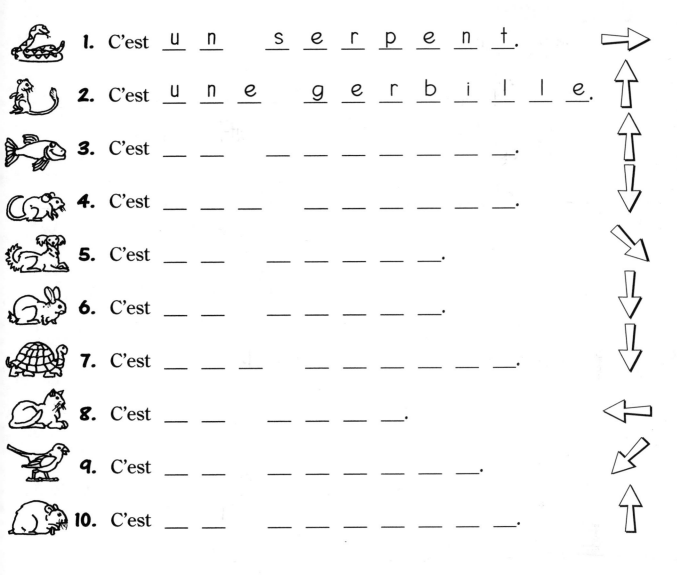

1. C'est u n   s e r p e n t .

2. C'est u n e   g e r b i l l e .

3. C'est __ __   __ __ __ __ __ __ __ .

4. C'est __ __ __ __ __ __ __ __ .

5. C'est __ __   __ __ __ __ __ __ .

6. C'est __ __   __ __ __ __ __ .

7. C'est __ __   __ __ __ __ __ __ __ .

8. C'est __ __   __ __ __ __ .

9. C'est __ __   __ __ __ __ __ __ .

10. C'est __ __   __ __ __ __ __ __ __ .

```
s e r p e n t n t
o r c a l n l o o
u e i h l o a s r
r t m a i u p s t
i s x s b e i i u
s m e d r e n o e
t a h c e c o p m
u h p a g g n i e
```

Trouve les mots dans le puzzle.

Solution:

Les __ __ __ __ __ __ __

__ __

__ __ __ __ __ __ __ __ .

Je vérifie!

 E **Ani-Mots**

Forme des mots.

ch	☐	**1**	pent
la	☐	**2**	bille
ch	☐	**3**	sson
poi	☐	**4**	tue
ger	2	**5**	ien
sou	☐	**6**	ster
ser	1	**7**	ris
oi	☐	**8**	pin
ham	☐	**9**	at
tor	☐	**10**	seau

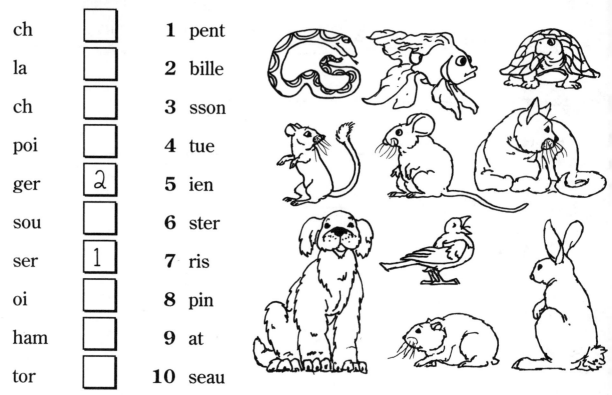

Qu'est-ce que c'est? Écris le nom de chaque animal avec **un** ou **une**.

1. C'est   un   serpent   .
2. C'est   une   gerbille   .
3. _____ _____ _____ .
4. _____ _____ _____ .
5. _____ _____ _____ .
6. _____ _____ _____ .
7. _____ _____ _____ .
8. _____ _____ _____ .
9. _____ _____ _____ .
10. _____ _____ _____ .

      Thème 1: Les animaux de compagnie   *VISAGES 1 LANGUE ET PRATIQUE*

Je m'appelle : _____

Mon langage actif 2

- **Tu as un** animal de compagnie?
- Oui. **J'ai un** serpent.
  Il s'appelle Boa.

- **Tu as un** hamster?
- Non. **J'ai une** gerbille.
  Elle s'appelle Loulou.

Maîtres et animaux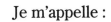

Écoute bien les présentations. Identifie chaque animal.
Coche (✓) la bonne case.

1. Chantal	✓		☐
2. Pierre	☐		☐
3. Natalie	☐		☐
4. Christian	☐		☐
5. Denise	☐		☐
6. Marc	☐		☐

Ani-Noms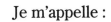

Écoute bien les présentations. Est-ce que c'est **Il s'appelle** ou **Elle s'appelle**?
Coche (✓) la bonne case.

	1	2	3	4	5	6	7	8	9	10
Il s'appelle	✓	☐	☐	☐	☐	☐	☐	☐	☐	☐
Elle s'appelle	☐	✓	☐	☐	☐	☐	☐	☐	☐	☐

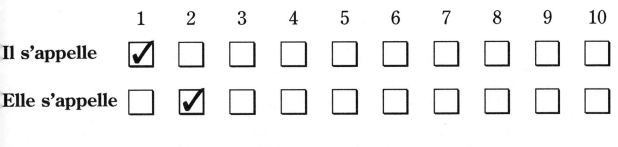

Je m'appelle : _____

⬢ Ani-Rimes

Quel animal rime avec chaque nom?

1. J'ai _____ un _____ chien _____.

   Il s'appelle Lucien.

2. _____ _____ _____.

   Elle s'appelle Lulu.

3. _____ _____ _____.

   Il s'appelle Rajah.

4. _____ _____ _____.

   Elle s'appelle Mimi.

5. _____ _____ _____.

   Il s'appelle Toto.

6. _____ _____ _____.

   Elle s'appelle Camille.

7. _____ _____ _____.

   Il s'appelle Clément.

8. _____ _____ _____.

   Il s'appelle Lutin.

9. _____ _____ _____.

   Il s'appelle Jupiter.

10. _____ _____ _____.

    Il s'appelle Gaston.

J'ai...

| ☐ un chat | ☐ une gerbille | ☐ un lapin | ☐ un poisson | ☐ une souris |
| ☑ un chien | ☐ un hamster | ☐ un oiseau | ☐ un serpent | ☐ une tortue |

C'est super!

Il ou **Elle?**

1. Voici un cheval super! <u>Il</u> s'appelle Tex.

2. Voici une gerbille super! <u>Elle</u> s'appelle Lucille.

3. Voici un hamster super! _____ s'appelle Henri.

4. Voici une souris super! _____ s'appelle Suzy.

5. Voici une tortue super! _____ s'appelle Yvette.

6. Voici un chien super! _____ s'appelle Prince.

7. Voici un oiseau super! _____ s'appelle Pierrot.

8. Voici une chatte super! _____ s'appelle Tigresse.

9. Voici un serpent super! _____ s'appelle Sinbad.

10. Voici un lapin super! _____ s'appelle Georges.

Maintenant, crée des conversations avec ton ou ta partenaire.

– Voici un cheval super!
– Comment s'appelle-t-il?
– Il s'appelle Tex.

– Voici une gerbille super!
– Comment s'appelle-t-elle?
– Elle s'appelle Lucille.

Je vérifie!

 Questions et réponses

Complète les conversations.

1. – <u>Tu</u> <u>as</u> un chat?

– Oui. <u>J'ai</u> un chat intelligent!

<u>Il</u> s'appelle Sultan.

2. – <u>Tu</u> <u>as</u> un animal de compagnie?

– Mais oui! <u>J'ai</u> une souris adorable!

<u>Elle</u> s'appelle Fifi.

3. – _____ _____ un chien?

– Mais non! _____ un cheval.

_____ s'appelle Amigo.

4. – _____ _____ un oiseau?

– Oui. _____ un perroquet extraordinaire!

_____ s'appelle Pirate.

5. – _____ _____ un animal de compagnie?

– Mais oui! _____ un animal de compagnie adorable!

– Ah oui? Qu'est-ce que c'est?

– C'est une gerbille. _____ s'appelle Gertrude.

Maintenant, pratique les conversations avec ton ou ta partenaire.

Mon langage actif 3

- **Tu aimes les** chiens?
- Oui, **j'aime les** chiens.

- **Tu aimes les** souris?
- Non, **je déteste les** souris.

Aimer: oui ou non?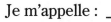

Écoute bien les questions.
Donne ta réponse! Coche (✓) **oui** ou **non**.

	1	2	3	4	5	6	7	8	9	10
oui	☐	☐	☐	☐	☐	☐	☐	☐	☐	☐
non	☐	☐	☐	☐	☐	☐	☐	☐	☐	☐

Aimer ou détester?

Écoute bien. Coche (✓) l'opinion de chaque animal.

	1	2	3	4	5	6	7	8	9	10
☺	✓	☐	☐	☐	☐	☐	☐	☐	☐	☐
☹	☐	✓	☐	☐	☐	☐	☐	☐	☐	☐

Maintenant, pose des questions à ton ou ta partenaire.

– Tu aimes les chiens?
– Oui, j'aime les chiens.

– Tu aimes les hamsters?
– Non, je déteste les hamsters.

Je m'appelle : _____

M Un message secret

```
19 1 12 21 20 !
10 5    13 1 16 16 5 12 12 5    25 22 5 20 20 5.
10 1 4 15 18 5    12 5 19    3 8 5 22 1 21 24,
13 1 9 19    10 5    4 5 20 5 19 20 5
12 5 19    19 5 18 16 5 14 20 19 !
```

Décode le message!

___ ___ ___ ___ ___ !
19 1 12 21 20

___ ___   ___ ___ ___ ___ ___ ___ ___ ___   ___ ___ ___ ___ ___ ___ .
10 5   13 1 16 16 5 12 12 5   25 22 5 20 20 5

___ ___ ___ ___ ___ ___   ___ ___ ___   ___ ___ ___ ___ ___ ___ ___ ___ ,
10 1 4 15 18 5   12 5 19   3 8 5 22 1 21 24

___ ___ ___ ___   ___ ___   ___ ___ ___ ___ ___ ___ ___
13 1 9 19   10 5   4 5 20 5 19 20 5

___ ___ ___   ___ ___ ___ ___ ___ ___ ___ ___ ___ !
12 5 19   19 5 18 16 5 14 20 19

Voici le code:

A = 1	G = 7	L = 12	Q = 17	V = 22
B = 2	H = 8	M = 13	R = 18	W = 23
C = 3	I = 9	N = 14	S = 19	X = 24
D = 4	J = 10	O = 15	T = 20	Y = 25
E = 5	K = 11	P = 16	U = 21	Z = 26
F = 6				

Compose un message en code pour un ami ou une amie.

Je vérifie!

Les préférences

Donne une réponse personnelle à chaque question.

1. Tu aimes les chats?

Oui, j'aime les chats_____.

ou Non, je déteste les chats_____.

2. Tu aimes les chiens?

_____.

3. Tu aimes les lapins?

_____.

4. Tu aimes les serpents?

_____.

5. Tu aimes les hamsters?

_____.

6. Tu aimes les souris?

_____.

7. Tu aimes les poissons?

_____.

8. Tu aimes les gerbilles?

_____.

9. Tu aimes les oiseaux?

_____.

10. Tu aimes les tortues?

_____.

Robert **a un** animal de compagnie?
Oui. **Il a une** tortue.

Diane **a un** lapin?
Mais non! **Elle a un** oiseau.

Les amis

Il a ou **Elle a**?

J'ai un chien.

Victor

1. Il a un chien _____ .

J'ai un cheval.

Julie

5. _____ .

J'ai un chat.

Lucie

2. Elle a un chat _____ .

J'ai un serpent.

Alain

6. _____ .

J'ai une gerbille.

Marc

3. _____ .

J'ai un hamster.

Léon

7. _____ .

J'ai un oiseau.

Anne

4. _____ .

J'ai un lapin.

Colette

8. _____ .

Maintenant, pose des questions à ton ou ta partenaire.

– Victor a un animal de compagnie?
– Oui. Il a un chien.

– Lucie a un animal de compagnie?
– Oui. Elle a un chat.

 Thème 1: Les animaux de compagnie *VISAGES 1 LANGUE ET PRATIQUE*

C'est injuste!

Salut, les amis! Je m'appelle Colette. J'ai dix ans. Moi, j'aime beaucoup les animaux de compagnie. J'ai une gerbille, un hamster et une tortue. Mon frère, Jacques, a un serpent. Tu aimes les serpents? Moi, je déteste les serpents! Les serpents sont horribles!

Mon animal de compagnie préféré est très spécial. Qu'est-ce que c'est? C'est un cheval! Je veux un cheval, mais papa refuse! C'est injuste!

Mini-quiz

1. Quels animaux de compagnie a Colette?

Colette a une gerbille, _____ .

2. Quel animal de compagnie a Jacques?

Jacques a _____ .

3. Selon Colette, comment sont les serpents?

Selon Colette, les serpents _____ .

4. Quel est l'animal préféré de Colette?

C'est _____ .

5. Est-ce que Colette a un cheval? Pourquoi?

_____ , parce que son papa _____ .

 Hourra pour les animaux!

Écoute bien chaque présentation.
Souligne la bonne réponse.

Marie-Claire

1. Elle a (7 / <u>10</u>) ans.

2. Elle aime (les chevaux / les oiseaux).

3. Elle a (un perroquet / un canari).

4. Il s'appelle (Roberto / Ricardo).

5. Il est (spectaculaire / extraordinaire)

Maurice

6. Il a (8 / 9) ans.

7. Il aime (les poissons / les animaux).

8. Il a (une souris / une gerbille).

9. Elle s'appelle (Gigi / Mimi).

10. Elle est (adorable / formidable).

Des phrases, s'il te plaît!

Mets les mots dans le bon ordre.

1. un / c'est / oiseau

C'est un oiseau _____.

2. gerbille / tu / as / une

Tu as une gerbille _____?

3. chiens / j'aime / les

_____.

4. Princesse / s'appelle / elle

_____.

5. les / tu / serpents / aimes

_____?

6. as / un / de / animal / tu / compagnie

_____?

7. les / déteste / serpents / je

_____.

8. tortue / une / c'est

_____.

C Parlons animaux!

Salut!
Je m'appelle Christine.
J'ai dix ans.
J'aime les animaux!
Je veux un chien.
Les chiens sont formidables!

Bonjour!
Je m'appelle Richard.
J'ai onze ans.
J'ai un lapin.
Il s'appelle Pierrot.
Pierrot est chouette!

Parle de ton animal de compagnie préféré!

_____

_____

_____

_____

_____

_____

_____

_____

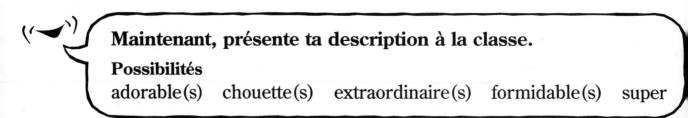

Maintenant, présente ta description à la classe.

Possibilités

adorable(s)   chouette(s)   extraordinaire(s)   formidable(s)   super

La télévision

2

18-21

Mon langage actif 1

- Qu'est-ce que c'est?
- **C'est un** drame.

- Qu'est-ce que c'est?
- **C'est une** comédie.

À la télé!

Écoute bien les publicités. Identifie chaque type d'émission.
Écris le numéro dans la bonne case.

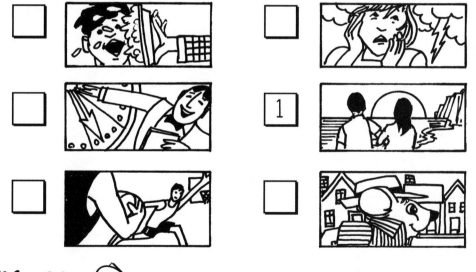

Téléguide

Écoute bien les conversations. Est-ce que c'est **un** ou **une**?
Coche (✓) la bonne case.

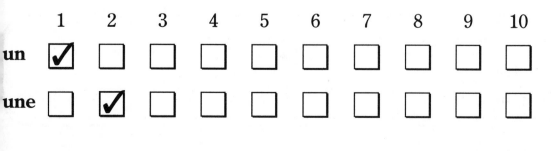

	1	2	3	4	5	6	7	8	9	10
un	✓									
une		✓								

C ◆ Vive la télévision!

Qu'est-ce que c'est?

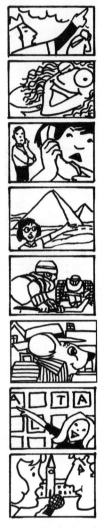

1. C'est <u>un drame</u> .

2. C'est <u>une comédie</u> .

3. C'est _____ .

4. C'est _____ .

5. C'est _____ .

6. C'est _____ .

7. C'est _____ .

8. C'est _____ .

☑ une comédie ☐ une émission de sports

☐ un dessin animé ☐ un feuilleton

☐ un documentaire ☐ une interview

☑ un drame ☐ un jeu

Maintenant, pose des questions à ton ou ta partenaire.

– Qu'est-ce que c'est?   – Qu'est-ce que c'est?

– C'est un drame.   – C'est une comédie.

Télé-Secret

1. C'est [u][n] [j][e][u] .
_{1 2}

2. C'est ▢▢ ▢▢▢▢▢▢▢▢▢ .
_{3   4 5}

3. C'est ▢▢ ▢▢▢▢▢ .
₆

4. C'est ▢▢ ▢▢▢▢▢▢▢▢▢▢▢▢ .
_{7   8}

5. C'est ▢▢▢ ▢▢▢▢▢▢▢ .
₉

6. C'est ▢▢▢ ▢▢▢▢▢▢▢▢▢ .
_{10   11}

7. C'est ▢▢▢ ▢▢▢▢▢▢▢▢ de sports.
_{12 13}

☐ une comédie   ☐ un feuilleton

☐ un documentaire   ☐ une interview

☐ un drame   ☑ un jeu

☐ une émission

Quelle est l'émission secrète?

C'est ▢▢ ▢▢▢▢ ▢'▢▢▢▢▢▢ !
_{1 2   3 4 5 6   7   8 9 10 11 12 13}

Je vérifie!

 Télé-Mélange

Qu'est-ce que c'est? Écris le nom de chaque type d'émission
avec **un** ou **une**.

1. oneredcatmiu   <u>C'est</u>   <u>un</u>   <u>documentaire</u> .

2. édomice   <u>C'est</u>   <u>une</u>   <u>comédie</u> .

3. deniss manié   _____   _____   _____ .

4. miniséos ed postrs   _____   _____   _____ .

5. uje   _____   _____   _____ .

6. telefunoli   _____   _____   _____ .

7. dream   _____   _____   _____ .

8. winterive   _____   _____   _____ .

5

Mon langage actif 2

- Luc, **tu as un** feuilleton préféré?

- Oui, **j'ai un** feuilleton préféré.
  C'est «Hôpital général».

- Marie, **tu as une** émission
  préférée?

- Oui, **j'ai une** émission préférée.
  C'est «Le Club des 100 watts».

Télé-Opinions

Écoute bien les conversations. Identifie chaque type d'émission.
Coche (✓) la bonne case.

1. Robert

2. Angèle

3. Jacques

4. Lise

5. Jean-Marc

6. Caroline

7. Fabien

8. Patricia

Je m'appelle : _____

G Mes préférences

Parle de tes émissions préférées.

1. un dessin animé

J'ai un dessin animé préféré _____ .

C'est _____ .

2. une émission de vidéoclips

J'ai une émission de vidéoclips préférée _____ .

C'est _____ .

3. un drame

_____ .

C'est _____ .

4. une comédie

_____ .

C'est _____ .

5. un feuilleton

_____ .

C'est _____ .

6. une émission de sports

_____ .

C'est _____ .

Maintenant, pose des questions à ton ou ta partenaire.

– Tu as un dessin animé préféré?

– Oui, j'ai un dessin animé préféré.

– Qu'est-ce que c'est?

– C'est «Astérix».

– Tu as une émission de vidéoclips préférée?

– Oui, j'ai une émission de vidéoclips préférée.

– Qu'est-ce que c'est?

– C'est «VidéoPlus».

Télé-Message

11 1 10   22 15 5   6 14 10 20 20 10 16 15
17 19 6 7 6 19 6 5 .
3 5 20 21   3 1 17 10 21 1 10 15 5   23 10 4 6 16 .
21 22   1 20   22 15 5   6 14 10 20 20 10 16 15
17 19 6 7 6 19 6 5 ?
18 22 5 20 21 3 5   18 22 5   3 5 20 21 ?

Décode le message!

—'— —   — — —   — — — — — — — —
11 1 10   22 15 5   6 14 10 20 20 10 16 15

— — — — — — — — .
17 19 6 7 6 19 6 5

—'— — — «— — — — — — — — —   — — — — —».
3 5 20 21   3 1 17 10 21 1 10 15 5   23 10 4 6 16

— —   — —   — — —   — — — — — — — —
21 22   1 20   22 15 5   6 14 10 20 20 10 16 15

— — — — — — — —?
17 19 6 7 6 19 6 5

—'— — — -— —   — — —   —'— — —?
18 22 5 20 21 3 5   18 22 5   3 5 20 21

Voici le code:

A = 1	F = 7	K = 12	P = 17	U = 22
B = 2	G = 8	L = 13	Q = 18	V = 23
C = 3	H = 9	M = 14	R = 19	W = 24
D = 4	I = 10	N = 15	S = 20	X = 25
E = 5	J = 11	O = 16	T = 21	Y = 26
É = 6				Z = 27

Compose un message en code pour un ami ou une amie.

Je vérifie!

◆ Ⅰ Les interviews

Complète les conversations.

1. – <u>Tu</u>   <u>as</u>   une émission préférée?

   – Oui, <u>j'ai</u> une émission préférée.

     <u>C'est</u>   «Watatatow».

2. – _____ _____ un dessin animé préféré?

   – Non, mais _____ une comédie préférée.

     _____ «Hé! les amis!».

3. – _____ _____ un jeu préféré ?

   – Mais oui, _____ un jeu préféré.

     _____ «LotoFun».

4. – _____ _____ une émission préférée?

   – Moi, _____ deux émissions préférées!

     Une émission, _____ «La soirée du hockey».

     L'autre émission, _____ «Sciences Carrousel».

Maintenant, pratique les conversations avec ton ou ta partenaire.

Mon langage actif 3

> - **Tu aimes les** comédies?
> - Oui, **j'aime les** comédies.
>
> - **Tu aimes les** feuilletons?
> - Non, **je déteste les** feuilletons.

Tu aimes ça?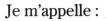

Écoute bien les conversations. Coche (✓) l'opinion de chaque personne.

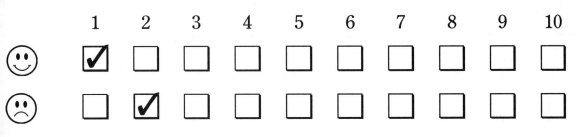

	1	2	3	4	5	6	7	8	9	10
☺	✓	☐	☐	☐	☐	☐	☐	☐	☐	☐
☹	☐	✓	☐	☐	☐	☐	☐	☐	☐	☐

C'est personnel!

Écoute bien les questions. Donne ta réponse!
Coche (✓) **J'aime** ou **Je déteste**.

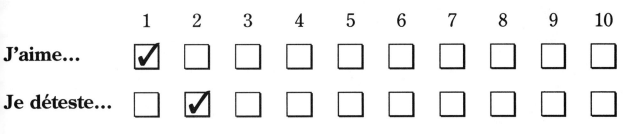

	1	2	3	4	5	6	7	8	9	10
J'aime...	✓	☐	☐	☐	☐	☐	☐	☐	☐	☐
Je déteste...	☐	✓	☐	☐	☐	☐	☐	☐	☐	☐

Je m'appelle : _____

◆L Les autographes

Pose des questions à des amis. Qui aime chaque type d'émission?
Trouve les autographes!

– Tu aimes les drames?	– Tu aimes les drames?
– Non, je déteste les drames.	– Oui, j'aime les drames.
– Alors, au revoir!	– Ton autographe, s'il te plaît!

1. les drames _____

Autographe: _____

2. les _____

Autographe: _____

3. les _____

Autographe: _____

4. les _____

Autographe: _____

5. les _____

Autographe: _____

6. les _____

Autographe: _____

Je vérifie!

Télé-Préférences

Donne une réponse personnelle à chaque question.

1. Tu aimes les jeux?

   _Oui, j'aime les jeux_____.

ou _Non, je déteste les jeux_____.

2. Tu aimes les drames?

   _____.

3. Tu aimes les dessins animés?

   _____.

4. Tu aimes les feuilletons?

   _____.

5. Tu aimes les émissions de vidéoclips?

   _____.

6. Tu aimes les documentaires?

   _____.

7. Tu aimes les comédies?

   _____.

8. Tu aimes les émissions de sports?

   _____.

9. Tu aimes les nouvelles?

   _____.

10. Tu aimes les films?

   _____.

• **Simon a un** film préféré?	• **Chantal a une** comédie préférée?
• Oui, **il a un** film préféré. C'est «Les trois mousquetaires».	• Oui, **elle a une** comédie préférée. C'est «Hourra pour les clowns!».

Les vedettes de la télé

Il a ou **Elle a**?

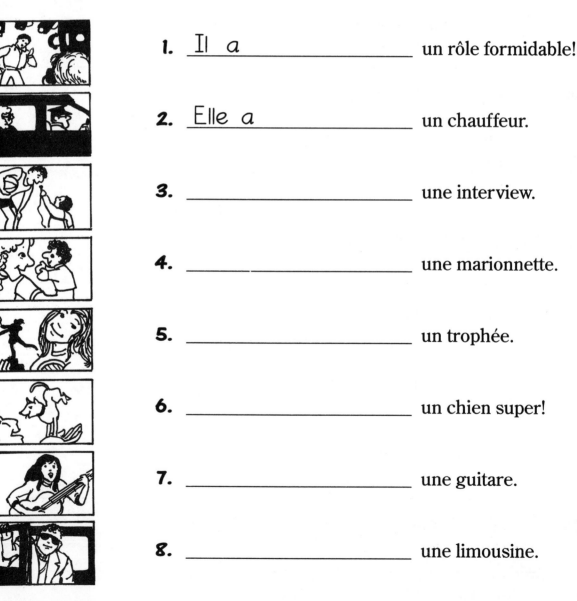

1. <u>Il a</u>   un rôle formidable!

2. <u>Elle a</u>   un chauffeur.

3. _____ une interview.

4. _____ une marionnette.

5. _____ un trophée.

6. _____ un chien super!

7. _____ une guitare.

8. _____ une limousine.

Je m'appelle : _____

C'est le week-end!

Bonjour! Je m'appelle Marc. Demain, c'est samedi. Et moi, j'adore le week-end! Samedi, à la télé, il y a «La soirée du hockey». C'est mon émission préférée. J'adore les émissions de sports! Elles sont super!

Moi, j'aime aussi les comédies. Ce soir, au canal 5, il y a «Bibi et Bobo». C'est très comique!

Samedi matin, il y a toujours un excellent match de soccer à la télé. Mais j'ai un problème! C'est ma petite sœur Lisette. Elle préfère les dessins animés. Ça, c'est trop bébé pour moi! Alors, c'est toujours la grande dispute!

Mini-quiz

1. Quelle est l'émission préférée de Marc?

C'est _____.

2. Quelles émissions est-ce que Marc adore? Pourquoi?

Marc adore _____.

Elles sont _____!

3. Quelles émissions est-ce que Marc aime aussi?

Marc aime aussi _____.

4. Qui est Lisette?

Lisette est la _____ de Marc.

5. Samedi matin, quel problème a Marc?

Il y a un excellent _____ à la télé,

mais Lisette préfère _____.

A ◆ Bravo, vidéo!

Écoute bien chaque présentation.
Souligne la bonne réponse.

Léonard

1. Il a (8 / <u>10</u>) ans.

2. Il aime (la musique / les films comiques).

3. Il a une émission de (jeux vidéo / vidéoclips) préférée.

4. C'est («VidéoPlus» / «VidéoManie»).

5. C'est (super / extraordinaire).

Julie

6. Elle a (8 / 9) ans.

7. Elle aime (les feuilletons / la télévision).

8. Elle a une émission de (sports / sciences) préférée.

9. C'est («Allô, Canada!» / «Sports-Canada»).

10. C'est (comique / fantastique).

Des phrases, s'il te plaît!

Mets les mots dans le bon ordre.

1. drame / un / c'est

C'est un drame _____ .

2. une / as / préférée / tu / émission

Tu as une émission préférée _____ ?

3. les / je / feuilletons / déteste

_____ .

4. dessin / j'ai / préféré / un / animé

_____ .

5. aimes / les / tu / documentaires

_____ ?

6. les / j'aime / de / sports / émissions

_____ .

7. préféré / as / jeu / tu / un

_____ ?

8. une / c'est / comédie

_____ .

Parlons télévision!

Bonjour!
Je m'appelle Mario.
J'ai neuf ans.
J'adore les drames.
J'ai une émission préférée.
C'est «Agent X».
C'est formidable!

Salut!
Je m'appelle Sophie.
J'ai dix ans.
J'aime les émissions de sciences.
J'ai une émission préférée.
C'est «Nos amis les animaux».
C'est super!

Parle de ton émission de télévision préférée!

_____

_____

_____

_____

_____

_____

_____

_____

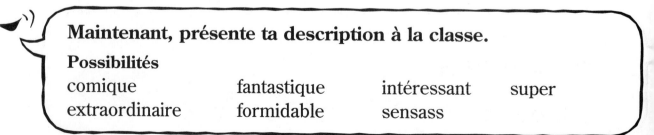

Maintenant, présente ta description à la classe.

Possibilités

comique	fantastique	intéressant	super
extraordinaire	formidable	sensass	

Je m'appelle : _____

Les clowns

Mon langage actif 1

- Bernard est **triste?**
- Oui, **il est triste.**

- Marc est **content?**
- Mais non! **Il est fâché.**

- Marcel est **confus?**
- Oui, et **il est nerveux** aussi.

- Angèle est **triste?**
- Oui, **elle est triste.**

- Laure est **contente?**
- Mais non! **Elle est fâchée.**

- Marianne est **confuse?**
- Oui, et **elle est nerveuse** aussi.

Bravo, les jeunes clowns!

Écoute bien les conversations. Identifie chaque clown.
Coche (✓) la bonne case.

**Maintenant, indique des illustrations et pose des questions
à ton ou ta partenaire.**

– Il est timide?
– Oui, il est timide.

– Elle est fâchée?
– Oui, elle est fâchée.

Je m'appelle : _____

B Hourra pour les clowns!

Il est ou **Elle est?**

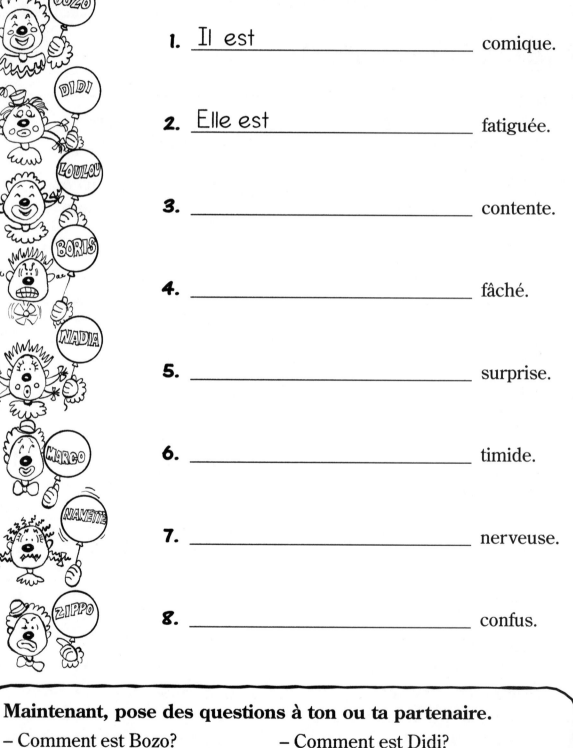

1. Il est _____ comique.

2. Elle est _____ fatiguée.

3. _____ contente.

4. _____ fâché.

5. _____ surprise.

6. _____ timide.

7. _____ nerveuse.

8. _____ confus.

Maintenant, pose des questions à ton ou ta partenaire.

– Comment est Bozo?   – Comment est Didi?
– Il est comique.   – Elle est fatiguée.

Vivent les clowns!

Il est ou **Elle est**? Donne des descriptions.

1. _Il est triste_____.

2. _Elle est contente_____.

3. _____.

4. _____.

5. _____.

6. _____.

7. _____.

8. _____.

9. _____.

10. _____.

☐ Il est content.

☐ Il est fâché.

☐ Il est nerveux.

☐ Il est surpris.

☑ Il est triste.

☑ Elle est contente.

☐ Elle est fâchée.

☐ Elle est nerveuse.

☐ Elle est surprise.

☐ Elle est triste.

Je m'appelle : _____

◆ D *Lui aussi... elle aussi!*

Complète les phrases avec la bonne description.

1. Luc est fâché.   Lucie est   <u>fâchée</u>   aussi!

2. Paulette est confuse.   Paul est   <u>confus</u>   aussi!

3. Denis est content.   Denise est   _____   aussi!

4. Pierrette est fatiguée. Pierre est   _____   aussi!

5. Martin est triste.   Martine est _____   aussi!

6. Jacqueline est nerveuse. Jacques est _____   aussi!

7. Louis est surpris.   Louise est   _____   aussi!

8. Michèle est timide.   Michel est   _____   aussi!

9. Simon est content.   Simone est   _____   aussi!

10. Danielle est comique. Daniel est   _____   aussi!

((‿))

Maintenant, pose des questions à ton ou ta partenaire.

– Luc est fâché?   – Paulette est confuse?
– Oui, il est fâché.   – Oui, elle est confuse.
– Et Lucie?   – Et Paul?
– Elle est fâchée aussi!   – Il est confus aussi!

Je vérifie!

Le défilé des clowns

Il est ou **Elle est**? Donne des descriptions.

1. NETTNOC   Il   est   content   .

2. NOSECUF   Elle   est   confuse   .

3. AGIFTUÉ   _____   _____   _____ .

4. PURSISER   _____   _____   _____ .

5. FÉÂCH   _____   _____   _____ .

6. VEXRUNE   _____   _____   _____ .

7. OCTTEENN   _____   _____   _____ .

8. ÉGUIFATE   _____   _____   _____ .

9. NEVERSUE   _____   _____   _____ .

10. SIRSURP   _____   _____   _____ .

11. FUNSOC   _____   _____   _____ .

12. HECÂFÉ   _____   _____   _____ .

Mon langage actif 2

- **Tu es triste**, Daniel?
- Oui, **je suis triste**.

- **Tu es contente**, Sophie?
- Non, **je suis fâchée**!

 ## Des clowns expressifs!

Écoute bien les questions. Quelle est la bonne réponse?
Coche (✓) **oui** ou **non**.

	1	2	3	4	5	6	7	8
oui	✓	☐	☐	☐	☐	☐	☐	☐
non	☐	✓	☐	☐	☐	☐	☐	☐

Les clowns parlent!

Écoute bien les présentations. Identifie chaque clown.
Écris le numéro dans la bonne case.

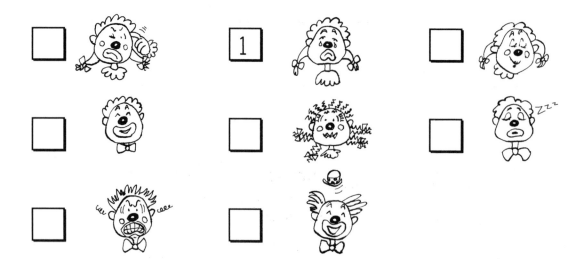

     Thème 3: Les clowns   *VISAGES 1 LANGUE ET PRATIQUE*

Ça rime!

Quelle description rime avec chaque nom de clown?

1. Je m'appelle René.

Je suis fâché _____.

2. Je m'appelle Lise.

_____.

3. Je m'appelle Mathieu.

_____.

4. Je m'appelle Henri.

_____.

5. Je m'appelle Clémente.

_____.

6. Je m'appelle Baptiste.

_____.

7. Je m'appelle Aristide.

_____.

8. Je m'appelle Chloé.

_____.

9. Je m'appelle Mimik.

_____.

10. Je m'appelle Claire.

_____.

Je suis...

☐ comique   ☐ fatiguée   ☐ surpris   ☐ triste

☐ contente   ☐ nerveux   ☐ surprise

☑ fâché   ☐ super   ☐ timide

Je m'appelle : _____

◆1 Mon portrait-clown

Tu es un clown. Dessine ton visage! Comment es-tu?
Quel est ton nom?

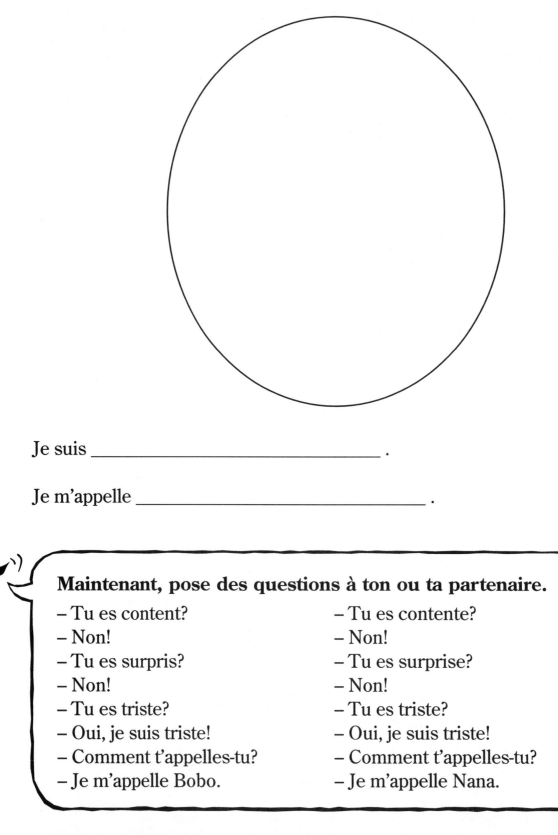

Je suis _____ .

Je m'appelle _____ .

Maintenant, pose des questions à ton ou ta partenaire.

– Tu es content?   – Tu es contente?

– Non!   – Non!

– Tu es surpris?   – Tu es surprise?

– Non!   – Non!

– Tu es triste?   – Tu es triste?

– Oui, je suis triste!   – Oui, je suis triste!

– Comment t'appelles-tu?   – Comment t'appelles-tu?

– Je m'appelle Bobo.   – Je m'appelle Nana.

     Thème 3: Les clowns   *VISAGES 1 LANGUE ET PRATIQUE*

Mots croisés: Les descriptions

✓ Je suis **confus**.
☐ Je suis **content**.
☐ Je suis **fâché**.
☐ Je suis **fatigué**.
☐ Je suis **nerveux**.
☐ Je suis **surpris**.
☐ Je suis **timide**.
☐ Je suis **triste**.

✓ Je suis **confuse**.
☐ Je suis **contente**.
☐ Je suis **fâchée**.
☐ Je suis **fatiguée**.
☐ Je suis **nerveuse**.
☐ Je suis **surprise**.
☐ Je suis **timide**.
☐ Je suis **triste**.

Je vérifie!

 Comment ça va?

Pose la question et donne la réponse.

1. – <u>Tu</u> <u>es</u> <u>triste</u> ?

– Oui, <u>je</u> <u>suis</u> <u>triste</u> !

2. – _____ _____ _____ ?

– Oui, _____ _____ _____ !

3. – _____ _____ _____ ?

– Oui, _____ _____ _____ !

4. – _____ _____ _____ ?

– Oui, _____ _____ _____ !

5. – _____ _____ _____ ?

– Oui, _____ _____ _____ !

6. – _____ _____ _____ ?

– Oui, _____ _____ _____ !

Qu'est-ce que c'est?	Qui est-ce?
• Qu'est-ce que c'est?	• Qui est-ce?
• **C'est un** défilé.	• **C'est** Paul.
• Qu'est-ce que c'est?	• Qui est-ce?
• **C'est une** comédie.	• **C'est** Jacqueline.

Qu'est-ce que c'est *ou* Qui est-ce?

Pose la bonne question.

1. – <u>Qu'est-ce que c'est</u> ?

– C'est un cirque.

2. – <u>Qui est-ce</u> ?

– C'est Coco, le clown.

3. – _____ ?

– C'est Josée.

4. – _____ ?

– C'est une girafe.

5. – _____ ?

– C'est un spectacle.

6. – _____ ?

– C'est Robert.

7. – _____ ?

– C'est Sylvie.

8. – _____ ?

– C'est un lion.

Bon anniversaire!

Nicole est très contente aujourd'hui. Pourquoi? Parce que c'est son anniversaire! Elle a neuf ans.

À sa fête d'anniversaire, il y a un invité spécial. C'est un clown. Il s'appelle Boris. Il a un visage très comique. Boris a une grande bouche rouge, les cheveux verts et un gros nez bleu. Les amis de Nicole adorent Boris. Il est formidable!

Boris a des ballons de toutes les couleurs. Il sculpte des animaux bizarres pour les enfants. Bravo, Boris! Tu es sensationnel!

Mini-quiz

1. Comment est Nicole aujourd'hui? Pourquoi?

Elle est _____ parce que c'est _____ .

2. À la fête, qui est l'invité spécial?

C'est un _____ .

3. Comment s'appelle-t-il?

Il _____ .

4. Comment est sa bouche? Et ses cheveux? Et son nez?

Il a une _____ , les _____

_____ , et un _____ .

5. Qu'est-ce que Boris sculpte pour les enfants?

Il sculpte _____

    Thème 3: Les clowns   *VISAGES 1 LANGUE ET PRATIQUE*

Deux clowns formidables! 💿

Écoute bien les descriptions. Souligne la bonne réponse.

La journée de Bravo

1. Bravo est toujours (<u>content</u> / confus).

2. À 9 heures, Bravo visite un (hôpital / hôtel).

3. Il sculpte des (statues / ballons).

4. L'après-midi, Bravo participe à un (match / défilé).

5. Le soir, Bravo travaille au (cinéma / cirque).

6. Bravo est très (nerveux / comique).

La journée de Brava

7. Brava est une (musicienne / mime).

8. Elle est toujours (timide / triste).

9. À 10 heures, Brava participe à une (classe / danse).

10. À la fête de Denis, elle fait des trucs (acrobatiques / magiques).

11. Le soir, Brava participe à un (festival / spectacle).

12. Elle est (superbe / surprise).

◆B Salut, les clowns!

Souligne la bonne description et complète la phrase.

1. Comment est Bobo?

Il est _fâché_____ . (<u>fâché</u> / confuse)

2. Comment est Lili?

Elle est _contente_____ . (nerveux / <u>contente</u>)

3. Comment est Pierrot?

Il est _____ . (fatiguée / triste)

4. Comment est Suzy?

Elle est _____ . (nerveuse / content)

5. Comment est Victor?

Il est _____ . (confus / fâchée)

6. Comment est Léo?

Il est _____ . (surprise / fatigué)

7. Comment est Zapa?

Elle est _____ . (confus / surprise)

8. Comment est Marcel?

Il est _____ . (fatiguée / timide)

9. Comment est Jojo?

Elle est _____ . (surpris / confuse)

10. Comment est Lulu?

Elle est _____ . (fâchée / fatigué)

Parlons clowns!

Bonjour!
Je m'appelle Jacques.
J'aime les clowns!
Mon clown préféré s'appelle Koko.
Il a un nez rouge et les cheveux bleus.
Il est super!

Salut!
Je m'appelle Christine.
J'aime les clowns!
Mon clown préféré s'appelle Boutonne.
Elle a un nez jaune et les cheveux verts.
Elle est comique!

Parle de ton clown préféré!

_____

_____

_____

_____

_____

_____

_____

_____

_____

Maintenant, présente ta description à la classe.

Il a / Elle a ...	Les couleurs	Il est / Elle est ...
un nez	blanc(s)	adorable
les cheveux	bleu(s)	chouette
	jaune(s)	comique
	noir(s)	extraordinaire
	rouge(s)	formidable
	vert(s)	populaire
		super
		sympa

THÈME 4

LIVRE 44–45,
PAGES 50–51

Les héros

Mon langage actif 1

- Jacques est sympa?
- Oui, **il est sympa.**
  Il est serviable et **généreux.**

- Anne est sympa?
- Oui, **elle est sympa.**
  Elle est serviable et **généreuse**

- Martin est intelligent?
- Oui, **il est intelligent.**

- Suzanne est intelligente?
- Oui, **elle est intelligente.**

- Serge est sportif?
- Oui, **il est** très **sportif.**

- Lise est sportive?
- Oui, **elle est** très **sportive.**

A ## Qui est-ce?

Écoute bien les descriptions. Identifie chaque personne.
Coche (✓) la bonne case.

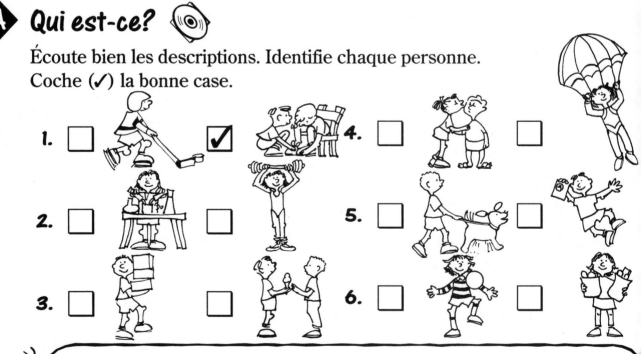

1. ☐   ✓   4. ☐   ☐
2. ☐   ☐   5. ☐   ☐
3. ☐   ☐   6. ☐   ☐

**Maintenant, indique des illustrations et pose des questions
à ton ou ta partenaire.**

– Voici un garçon. Il est serviable?   – Voici une fille. Elle est forte?
– Oui, il est serviable.   – Oui, elle est forte.

Hourra pour les héros!

Il est ou **Elle est**?

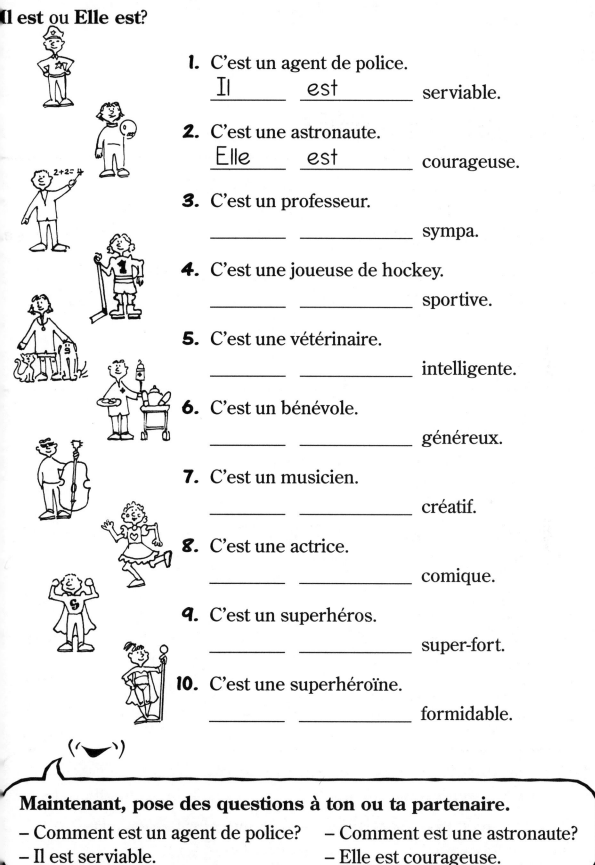

1. C'est un agent de police.

<u>Il</u> <u>est</u> serviable.

2. C'est une astronaute.

<u>Elle</u> <u>est</u> courageuse.

3. C'est un professeur.

_____ _____ sympa.

4. C'est une joueuse de hockey.

_____ _____ sportive.

5. C'est une vétérinaire.

_____ _____ intelligente.

6. C'est un bénévole.

_____ _____ généreux.

7. C'est un musicien.

_____ _____ créatif.

8. C'est une actrice.

_____ _____ comique.

9. C'est un superhéros.

_____ _____ super-fort.

10. C'est une superhéroïne.

_____ _____ formidable.

Maintenant, pose des questions à ton ou ta partenaire.

– Comment est un agent de police? – Comment est une astronaute?
– Il est serviable. – Elle est courageuse.

Je m'appelle : _____

C Héros et héroïnes!

Il est ou **Elle est**? Donne des descriptions.

1. Il est serviable _____

2. Elle est généreuse _____

3. _____

4. _____

5. _____

6. _____

7. _____

8. _____

9. _____

10. _____

☐ Il est courageux.   ☐ Elle est courageuse.

☐ Il est généreux.   ☑ Elle est généreuse.

☐ Il est intelligent.   ☐ Elle est intelligente.

☑ Il est serviable.   ☐ Elle est serviable.

☐ Il est sportif.   ☐ Elle est sportive.

Je m'appelle : _____

Vive la différence!

Complète la phrase.

1. Fabien est fort et Fabienne est _forte_____.

2. Pierrette est créative et Pierre est _créatif_____.

3. Julie est courageuse et Jules est _____.

4. Patrick est sportif et Patricia est _____.

5. Simone est intelligente et Simon est _____.

6. Georgette est serviable et Georges est _____.

7. Paul est généreux et Pauline est _____.

8. Carlo est créatif et Carla est _____.

9. Lucie est sympa et Luc est _____.

10. Claude est formidable et Claudine est _____.

((‿))

Maintenant, pose des questions à ton ou ta partenaire.

– Fabien est fort?
– Oui, il est fort.
– Et Fabienne?
– Elle est forte aussi!

– Pierrette est créative?
– Oui, elle est créative.
– Et Pierre?
– Il est créatif aussi!

Je vérifie!

◆E Les héros sont super!

Il est ou **Elle est**? Donne des descriptions.

Un astronaute?　　　**1.** <u>Il</u>　　<u>est</u>　　<u>courageux</u>　.

Une superhéroïne?　　**2.** <u>Elle</u>　　<u>est</u>　　<u>forte</u>　　.

Un athlète?　　　　　**3.** _____　_____　_____.

Une astronaute?　　　**4.** _____　_____　_____.

Un agent de police?　　**5.** _____　_____　_____.

Un superhéros?　　　**6.** _____　_____　_____.

Une athlète?　　　　**7.** _____　_____　_____.

Une mathématicienne?　**8.** _____　_____　_____.

Une agente de police?　**9.** _____　_____　_____.

Un mathématicien?　　**10.** _____　_____　_____.

Mon langage actif 2

> • **Tu es fort,** Galacto?
> • Mais oui! **Je suis super-fort!**
>
> • **Tu es forte,** Galacta?
> • Mais oui! **Je suis super-forte!**

Des super-interviews

Écoute bien les interviews. Souligne la bonne description.

1. Hercule est (supersonique / <u>super-fort</u>).

2. Robotica est (super-intelligente / super-forte).

3. Tornade est très (rapide / serviable).

4. Hélixa est (capable de voler / capable de danser).

5. Capitaine X est (sportif / exceptionnel).

6. Vaillante est (courageuse / généreuse).

C'est super!

Écoute bien les présentations. Identifie chaque héros ou héroïne.
Coche (✓) la bonne case.

Je m'appelle : _____

H **Des super-rimes!**

Quelle description rime avec chaque nom?

1. Je m'appelle Capitaine Intrépide.

Je suis rapide _____.

2. Je m'appelle La Savante.

_____.

3. Je m'appelle Voltigeux.

_____.

4. Je m'appelle Astrabelle.

_____.

5. Je m'appelle Vexor.

_____.

6. Je m'appelle Le Fantôme Vert.

_____.

7. Je m'appelle La Fusée.

_____.

8. Je m'appelle La Flamme Incroyable.

_____.

9. Je m'appelle Dynama.

_____.

10. Je m'appelle La Fabuleuse

_____.

Je suis...

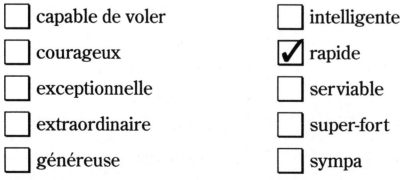

☐ capable de voler   ☐ intelligente

☐ courageux   ☑ rapide

☐ exceptionnelle   ☐ serviable

☐ extraordinaire   ☐ super-fort

☐ généreuse   ☐ sympa

Thème 4: Les héros   *VISAGES 1 LANGUE ET PRATIQUE*

Mots croisés: Super-descriptions

Je suis **courageux**.
Je suis **exceptionnel**.
Je suis **fort**.
Je suis **généreux**.
Je suis **intelligent**.
Je suis **rapide**.
Je suis **serviable**.
Je suis **sympa**.

Je suis **courageuse**.
Je suis **exceptionnelle**.
Je suis **forte**.
Je suis **généreuse**.
Je suis **intelligente**.
Je suis **rapide**.
Je suis **serviable**.
Je suis **sympa**.

◆ J Un super-message!

```
17 23    8 6 18 8    6 13    8 6 11 23 9 19 22 9 12 8
23 3 25 23 11 7 18 12 13 13 23 15 !
17 23    8 6 18 8    25 27 11 27 26 15 23    24 23    5 12 15 23 9 .
14 27    11 27 9 7 23 13 27 18 9 23    24 2 13 27 14 27
23 8 7    8 6 11 23 9 - 21 12 9 7 23,    18 13 7 23 15 15 18 20 23 13 7 23
23 7    25 12 6 9 27 20 23 6 8 23 !
                    24 2 13 27 14 12
```

Décode le message!

__ __   __ __ __ __   __ __   __ __ __ __ __ __ __ __ __ __
17 23   8 6 18 8   6 13   8 6 11 23 9 19 22 9 12

__ __ __ __ __ __ __ __ __ __ __ __ !
23 3 25 23 11 7 18 12 13 13 23 15

__ __   __ __ __ __   __ __ __ __ __ __ __   __ __
17 23   8 6 18 8   25 27 11 27 26 15 23   24 23

__ __ __ __ __ .   __ __   __ __ __ __ __ __ __ __ __ __
5 12 15 23 9   14 27   11 27 9 7 23 13 27 18 9 23

__ __ __ __ __ __   __ __ __   __ __ __ __ __ − __ __ __
24 2 13 27 14 27   23 8 7   8 6 11 23 9   21 12 9

__ __ __ __ __ __ __ __ __ __ __
18 13 7 23 15 15 18 20 23 13 7 23

__ __   __ __ __ __ __ __ __ __ __ __ !
23 7   25 12 6 9 27 20 23 6 8 23

                 __ __ __ __ __ __
                 24 2 13 27 14 12

Voici le code:

A = 27	F = 21	L = 15	Q = 10	V = 5
B = 26	G = 20	M = 14	R = 9	W = 4
C = 25	H = 19	N = 13	S = 8	X = 3
D = 24	I = 18	O = 12	T = 7	Y = 2
E = 23	J = 17	P = 11	U = 6	Z = 1
É = 22	K = 16			

Imagine que tu es un superhéros ou une superhéroïne. Comment t'appelles-tu? Comment es-tu? Compose un message en code pour un ami ou une amie.

Je vérifie!

C'est formidable!

Complète les conversations.

1. – <u>Tu</u> <u>es</u> <u>capable de voler</u> ?
   – Mais oui, <u>je</u> <u>suis</u> _____
   <u>capable de voler</u> .

2. – _____ ?
   – Mais oui, _____
   _____ .

3. – _____ ?
   – Mais oui, _____
   _____ .

4. – _____ ?
   – Mais oui, _____
   _____ .

5. – _____ ?
   – Mais oui, _____
   _____ .

6. – _____ ?
   – Mais oui, _____
   _____ .

7. – _____ ?
   – Mais oui, _____
   _____ .

8. – _____ ?
   – Mais oui, _____
   _____ .

Qu'est-ce que c'est?	**Qui est-ce?**
• Qu'est-ce que c'est?	• Qui est-ce?
• **C'est un** livre.	• **C'est** Robert.
• Qu'est-ce que c'est?	• Qui est-ce?
• **C'est une** photo.	• **C'est** Carole.

Qu'est-ce que c'est *ou* Qui est-ce?

Pose la bonne question.

1. – Qu'est-ce que c'est _____?

– C'est un jeu.

2. – Qui est-ce _____?

– C'est X. Vision, le superhéros.

3. – _____?

– C'est Roberta Bondar.

4. – _____?

– C'est un hôtel.

5. – _____?

– C'est une interview.

6. – _____?

– C'est une journaliste.

7. – _____?

– C'est un congrès.

8. – _____?

– C'est Hervé.

C'est super!

Mon meilleur ami s'appelle Daniel. Il a une grande collection de bandes dessinées. Daniel adore les superhéros. Son superhéros préféré est Galaxo. Il est de la planète Jupiter. Galaxo est très intelligent et très courageux.

La superhéroïne préférée de Daniel s'appelle Atomica. Elle est super-forte et elle est capable de voler.

Daniel a un rêve. Il veut être comme Galaxo et Atomica. Il veut être super-fort. Il veut voler. Il veut aider les personnes en danger. Mon ami Daniel est petit et un peu timide. Mais il a une grande imagination. C'est super, n'est-ce pas?

Mini-quiz

1. Qu'est-ce que Daniel adore?

Daniel adore _____ .

2. Qui est son superhéros préféré? Comment est-il?

Son superhéros préféré est _____ .

Il est _____ .

3. Qui est sa superhéroïne préférée? Comment est-elle?

Sa superhéroïne préférée est _____ .

Elle est _____ .

4. Qui est-ce que Daniel veut aider?

Il veut aider _____ .

5. Comment est Daniel?

Il est _____ .

A Une superhéroïne exceptionnelle!

Écoute bien l'interview. Souligne la bonne réponse.

1. Martin Boucher est (astronaute / <u>reporter</u>).

2. Il interviewe (un superhéros / une superhéroïne).

3. Elle est ici pour un (congrès / concert) de superhéros.

4. Elle (aime / déteste) la réunion.

5. Elle est de la planète (Mercure / Vénus).

6. Elle est capable de (voler / danser).

7. Elle est super- (timide / rapide).

8. Elle aide les gens en (danger / classe).

9. Elle est super-courageuse, super-serviable et super- (formidable / forte).

10. Elle est aussi super- (intéressante / intelligente).

Qualités héroïques!

Souligne la bonne description et complète la phrase.

1. Comment est X. Vision?

Il est _exceptionnel_____ . (<u>exceptionnel</u> / généreuse)

2. Comment est Fabienne Laforce?

Elle est _super-forte_____ . (intelligent / <u>super-forte</u>)

3. Comment est Capitaine Robot?

Il est _____ . (fatiguée / rapide)

4. Comment est Maxima?

Elle est _____ . (courageuse / fort)

5. Comment est Zéna?

Elle est _____ . (généreux / serviable)

6. Comment est Le Fantôme Blanc?

Il est _____ . (capable de voler / forte)

7. Comment est Gyro?

Il est _____ . (exceptionnelle / sympa)

8. Comment est Dynama?

Elle est _____ . (intelligente / courageux)

9. Comment est Vortex?

Il est _____ . (généreux / courageuse)

10. Comment est Nova?

Elle est _____ . (courageux / exceptionnelle)

◆C Parlons héros et héroïnes!

Salut!

Je m'appelle Philippe.

Mon héros, c'est un astronaute.

Il s'appelle Marc Garneau.

Il est fort, intelligent et
très courageux.

C'est une personne extraordinaire!

Bonjour!

Je m'appelle Marie-Claire.

Ma héroïne, c'est une chanteuse.

Elle s'appelle Céline Dion.

Elle est sympa, généreuse et
très créative.

Céline a beaucoup de talent!

Parle de ton héros ou de ta héroïne!

_____

_____

_____

_____

_____

_____

_____

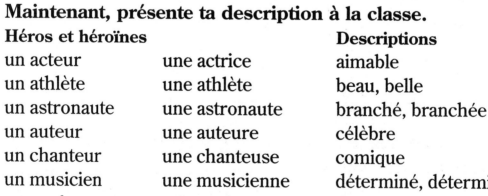

Maintenant, présente ta description à la classe.

Héros et héroïnes		Descriptions
un acteur	une actrice	aimable
un athlète	une athlète	beau, belle
un astronaute	une astronaute	branché, branchée
un auteur	une auteure	célèbre
un chanteur	une chanteuse	comique
un musicien	une musicienne	déterminé, déterminée
un professeur	une professeure	dynamique
un scientifique	une scientifique	fabuleux, fabuleuse
		incroyable
		populaire
		sensationnel, sensationnelle

 Thème 4: Les héros *VISAGES 1 LANGUE ET PRATIQUE*

Je m'appelle : _____

Les pattes

Mon langage actif 1

- **Tu nages** bien?
- Mais oui, **je nage** comme un canard!

- **Tu marches** vite?
- Mais oui, **je marche** comme un couguar!

Qu'est-ce que c'est?

Écoute bien les présentations. Identifie chaque animal.
Coche (✓) la bonne case.

1. ☐   ☑
2. ☐   ☐
3. ☐   ☐
4. ☐   ☐
5. ☐   ☐

Des jeunes actifs!

Écoute bien les conversations. Identifie chaque activité mentionnée.
Écris le numéro dans la bonne case.

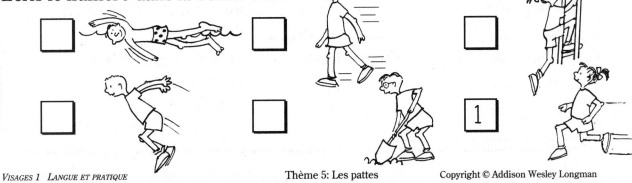

☐   ☐   ☐

☐   ☐   1

Je m'appelle : _____

C ◆ Animaux en action!

Écris une phrase convenable.

1.   Je   grimpe   vite   !

2.   _____ _____ _____ !

3.   _____ _____ _____ !

4.   _____ _____ _____ !

5.   _____ _____ _____ !

6.   _____ _____ _____ !

7.   _____ _____ _____ !

8.   _____ _____ _____ !

☐ Je cours vite!   ☐ Je marche bien!

☐ Je creuse bien!   ☐ Je nage vite!

☑ Je grimpe vite!   ☐ Je saute bien!

☐ Je grimpe bien!   ☐ Je vole bien!

Maintenant, pose des questions à ton ou ta partenaire.

– Tu grimpes vite?   – Tu voles bien?

– Oui, je grimpe vite.   – Mais non!

Je m'appelle : _____

Mots croisés: Animactions

HORIZONTALEMENT ➡			VERTICALEMENT ⬇
☑ Je **cours**	comme	un **couguar.**	☑
☐ Je **grimpe**	comme	un **écureuil.**	☐
☐ Je **marche**	comme	un **mouton.**	☐
☐ Je **nage**	comme	un **canard.**	☐
☐ Je **saute**	comme	un **lièvre.**	☐

Thème 5: Les pattes Copyright © Addison Wesley Longman **81**

Je m'appelle : _____

E ◆ Ani-Mimes

Pose la bonne question.

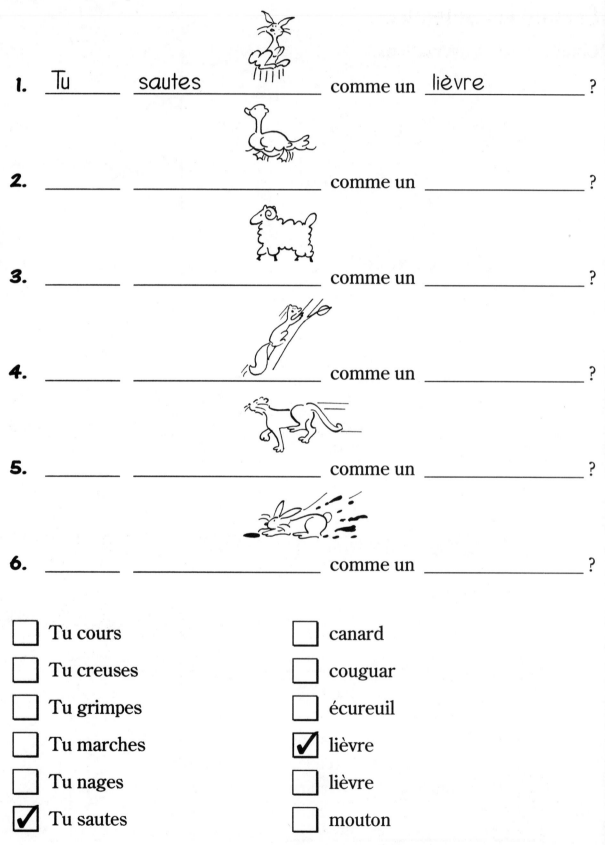

1. <u>Tu</u>   <u>sautes</u> _____ comme un <u>lièvre</u> _____ ?

2. _____ _____ comme un _____ ?

3. _____ _____ comme un _____ ?

4. _____ _____ comme un _____ ?

5. _____ _____ comme un _____ ?

6. _____ _____ comme un _____ ?

☐ Tu cours	☐ canard
☐ Tu creuses	☐ couguar
☐ Tu grimpes	☐ écureuil
☐ Tu marches	☑ lièvre
☐ Tu nages	☐ lièvre
☑ Tu sautes	☐ mouton

Je vérifie!

Comme les animaux...

Complète les conversations!

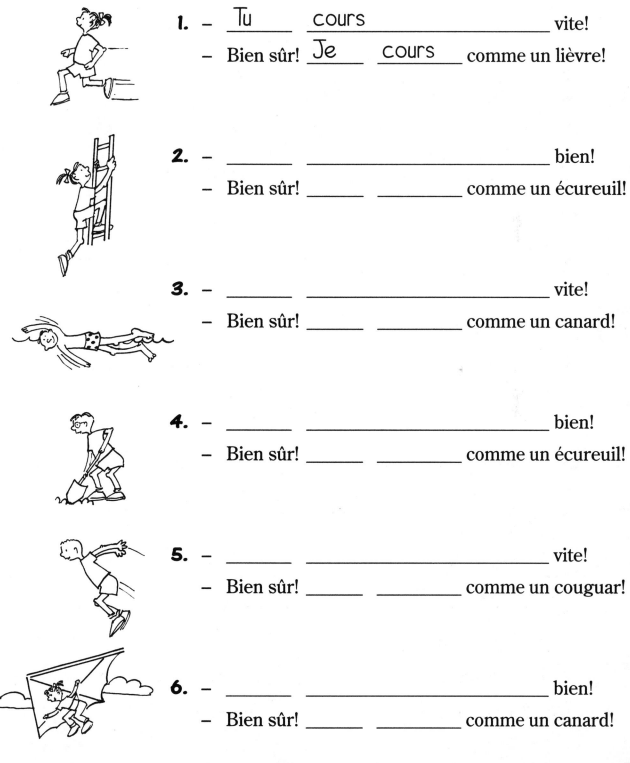

1. – __Tu__ __cours__ _____ vite!

– Bien sûr! __Je__ __cours__ comme un lièvre!

2. – _____ _____ bien!

– Bien sûr! _____ _____ comme un écureuil!

3. – _____ _____ vite!

– Bien sûr! _____ _____ comme un canard!

4. – _____ _____ bien!

– Bien sûr! _____ _____ comme un écureuil!

5. – _____ _____ vite!

– Bien sûr! _____ _____ comme un couguar!

6. – _____ _____ bien!

– Bien sûr! _____ _____ comme un canard!

Je m'appelle : _____

Mon langage actif 2

> Je m'appelle Coco Lecanard.   Je m'appelle Louis Lelièvre.
> Je nage bien.   Je saute vite.
> **Nage** comme un canard!   **Saute** comme un lièvre!
> **Nage** comme moi!   **Saute** comme moi!

G Question ou instruction?

Écoute bien. Est-ce que c'est une question ou une instruction?
Coche (✓) la bonne case.

	1	2	3	4	5	6	7	8
question (?)	✓	☐	☐	☐	☐	☐	☐	☐
instruction (!)	☐	✓	☐	☐	☐	☐	☐	☐

H Fais comme moi!

Écoute bien les présentations. Identifie chaque activité mentionnée.
Écris le numéro dans la bonne case.

Je m'appelle : _____

Simon dit...

Donne la bonne instruction.

1. _Saute_____ comme moi!

2. _____ comme moi!

3. _____ comme moi!

4. _____ comme moi!

5. _____ comme moi!

6. _____ comme moi!

7. _____ comme moi!

☐ cours   ☐ nage   ☐ grimpe

☐ creuse   ☑ saute   ☐ vole

☐ marche

Maintenant, fais les actions et donne des instructions à ton ou ta partenaire.

– Saute comme moi!

Je m'appelle : _____

J ▸ Imitactions

Donne la bonne instruction.

1. ROCUS _Cours_____ comme un lièvre!

2. PEGMIR _____ comme un écureuil!

3. LOVE _____ comme un canard!

4. HAMREC _____ comme un mouton!

5. RESCUE _____ comme un lièvre!

6. GANE _____ comme un canard!

7. TEAUS _____ comme un couguar!

☑ cours   ☐ nage

☐ creuse   ☐ saute

☐ grimpe   ☐ vole

☐ marche

Maintenant, fais les actions et donne des instructions à ton ou ta partenaire.

– Tu cours vite?
– Oui, je cours vite.
– Alors, cours comme un lièvre!

Je m'appelle : _____

Une pub secrète

```
10 4    19 21 9 19    2 8 0 13 16 9 15 14 14 4
3 4    20 4 14 14 9 19.
13 15 14    19 4 2 18 4 20 ?
13 4 19    19 15 21 12 9 4 18 19
3 4    19 16 15 18 20 .
2 15 21 18 19    4 20    19 0 21 20 4
2 15 13 13 4    13 15 9 !
0 2 8 5 20 4    3 4 19    19 15 21 12 9 4 18 19
18 0 16 9 3 4 24 !
```

Décode la publicité!

___ ___   ___ ___ ___ ___   ___ ___ ___ ___ ___ ___ ___ ___ ___ ___
10 4   19 21 9 19   2 8 0 13 16 9 15 14 14 4

___ ___   ___ ___ ___ ___ ___ ___.
3   4   20 4 14 14 9 19

___ ___ ___   ___ ___ ___ ___ ___ ___?
13 15 14   19 4 2 18 4 20

___ ___ ___   ___ ___ ___ ___ ___ ___ ___ ___
13 4 19   19 15 21 12 9 4 18 19

___ ___   ___ ___ ___ ___ ___.
3   4   19 16 15 18 20

___ ___ ___ ___ ___   ___ ___   ___ ___ ___ ___ ___
2 15 21 18 19   4 20   19 0 21 20 4

___ ___ ___ ___ ___   ___ ___ ___!
2 15 13 13 4   13 15 9

___ ___ ___ ___ ___ ___   ___ ___ ___   ___ ___ ___ ___ ___ ___ ___ ___
0 2 8 5 20 4   3 4 19   19 15 21 12 9 4 18 19

___ ___ ___ ___ ___ ___ ___!
18 0 16 9 3 4 24

Voici le code:

A = 0	F = 6	L = 12	Q = 17	V = 22
B = 1	G = 7	M = 13	R = 18	W = 23
C = 2	H = 8	N = 14	S = 19	X = 24
D = 3	I = 9	O = 15	T = 20	Y = 25
E = 4	J = 10	P = 16	U = 21	Z = 26
È = 5	K = 11			

Compose une publicité en code pour un ami ou une amie.

Je vérifie!

◆L Des pubs super!

Écris des slogans.

1. Je nage bien. _Nage comme moi_____ !

2. Je marche vite. _____ !

3. Je saute bien. _____ !

4. Je grimpe vite. _____ !

5. Je creuse bien. _____ !

6. Je cours vite. _____ !

C'EST EXTRA!

- **Pierre nage** bien?
- Oui, **il nage** très bien.

- **Stéphanie marche** vite?
- Oui, **elle marche** très vite.

Amis en action!

Il ou **Elle**? Complète les descriptions.

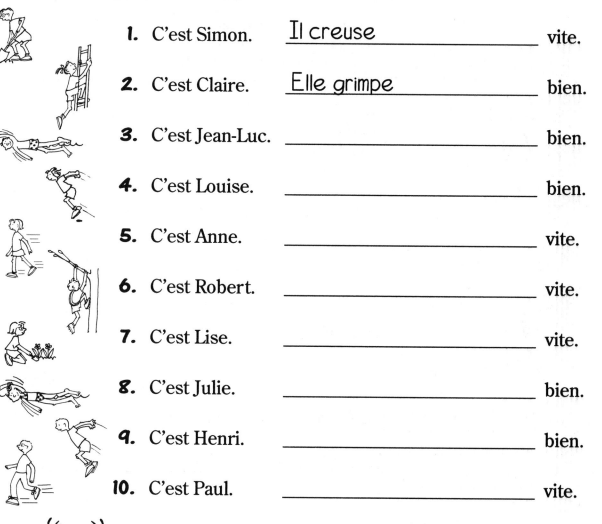

1. C'est Simon. <u>Il creuse</u> _____ vite.

2. C'est Claire. <u>Elle grimpe</u> _____ bien.

3. C'est Jean-Luc. _____ bien.

4. C'est Louise. _____ bien.

5. C'est Anne. _____ vite.

6. C'est Robert. _____ vite.

7. C'est Lise. _____ vite.

8. C'est Julie. _____ bien.

9. C'est Henri. _____ bien.

10. C'est Paul. _____ vite.

Maintenant, pose des questions à ton ou ta partenaire.

– Simon creuse vite?
– Oui, il creuse très vite.

– Claire grimpe bien?
– Oui, elle grimpe très bien.

C'est normal!

Aujourd'hui, Robert Lachance visite le zoo avec sa mère, son père et sa petite sœur, Brigitte. Robert aime surtout les girafes, les kangourous et les gorilles. Robert crie: «Maman! Papa! Brigitte! Regardez! Je cours comme une girafe!» Brigitte ne regarde pas. Elle admire un joli canard. Il nage sur le lac.

Robert crie encore: «Regardez! Je saute comme un kangourou!» Brigitte ne regarde pas. Elle observe un petit écureuil dans un arbre. Robert persiste: «Hé! Regardez! Je marche comme un gorille!» Brigitte ne regarde pas.

La famille arrive à la cage des singes. Robert grimpe sur la cage. Il crie: «Regardez! Je grimpe comme un singe!» Finalement, Brigitte regarde son frère. «Mais, Robert, pour toi, c'est normal, n'est-ce pas?»

Mini-quiz

1. Qu'est-ce que Robert aime surtout au zoo?

Robert aime surtout _____

_____

2. Qu'est-ce que Brigitte admire?

Brigitte admire _____

3. Selon Robert, comment est-ce qu'il saute? Et comment est-ce qu'il march◌

Selon Robert, il saute _____

et il marche _____

4. Où est-ce que Robert grimpe?

Il grimpe _____

5. Selon Brigitte, comment est Robert normalement?

Selon Brigitte, Robert est comme _____

Vive la pub!

Écoute bien chaque publicité.
Souligne la bonne réponse.

Martine Cormier

1. Martine travaille dans la (<u>forêt</u> / neige).

2. Elle (creuse / grimpe) bien.

3. Elle a des (bottes / skis) «Écureuil».

Philippe Legrand

4. Philippe est champion (de tennis / olympique).

5. Il court vite et il (saute / vole) bien.

6. Il a des souliers de sport («Tigre» / «Lion»).

Louis Lamer

7. Louis travaille dans (l'océan / le désert).

8. Il (marche / nage) bien.

9. Il a des (pattes / palmes) «Canard».

Pauline Potvin

10. Pauline habite (au Québec / en Ontario).

11. Elle (marche / grimpe) bien dans la neige.

12. Elle a des raquettes («Panthère» / «Couguar»).

B Actions en images!

Écris trois phrases: une question, une réponse et une instruction.

1. Tu marches comme un mouton _____ ?

Moi, je marche comme un mouton _____ .

Marche comme un mouton _____ !

2. _____ ?

_____ .

_____ !

3. _____ ?

_____ .

_____ !

4. _____ ?

_____ .

_____ !

5. _____ ?

_____ .

_____ !

Un cinquain

Le symbole du Canada,
Actif et intelligent,
Nager, plonger, travailler,
Il est admirable!
Le castor.

Patricia Marchand

Un animal sauvage,
Grand et fort,
Marcher, explorer, galoper,
Il est extraordinaire!
L'orignal.

Daniel Nadon

Compose un petit poème sur un des animaux de ton livre.

_____

(une définition)

_____

(deux adjectifs)

_____

(trois actions)

_____

(une description)

_____

(un nom)

Maintenant, présente ton cinquain à la classe.

Des descriptions		Des actions	
adorable	exceptionnel	brouter	jouer
amusant	féroce	chasser	manger
agile	formidable	cacher	ramasser
bizarre	rapide	creuser	sauter
chouette	sensationnel	crier	voler
comique		grimper	

Je m'appelle : _____

Les pas

Mon langage actif 1

- Allô, Catherine! **Tu écoutes** la radio?
- Oui, **j'écoute** CKVI. La musique est super!

- **Tu danses** très bien, Mich
- C'est vrai.
  Je danse comme un exper

A Question ou exclamation?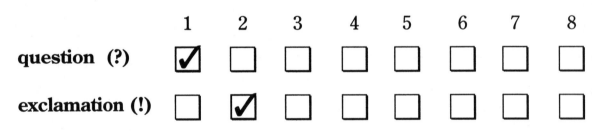

Écoute bien. Est-ce que c'est une question ou une exclamation?
Coche (✓) la bonne case.

	1	2	3	4	5	6	7	8
question (?)	✓	☐	☐	☐	☐	☐	☐	☐
exclamation (!)	☐	✓	☐	☐	☐	☐	☐	☐

B J'aime la musique!

Écoute bien les conversations. Identifie chaque activité mentionnée.
Écris le numéro dans la bonne case.

Actions en images

Quelle est l'action?

1. <u>Je danse</u> .

2. <u>J'écoute</u> la musique.

3. _____ des mains.

4. _____ le pas.

5. _____ .

6. _____ .

7. _____ .

8. _____ des doigts.

9. _____ un, deux, trois.

☐ j'avance	☑ je danse	☐ je recule
☐ je claque	☑ j'écoute	☐ je saute
☐ je compte	☐ je marque	☐ je tape

Maintenant, fais les actions et réponds aux questions de ton ou ta partenaire.

– Tu danses? – Tu écoutes la musique?
– Oui, je danse. – Oui, j'écoute la musique.

Je m'appelle : _____

D La danse des lettres

Complète les questions.

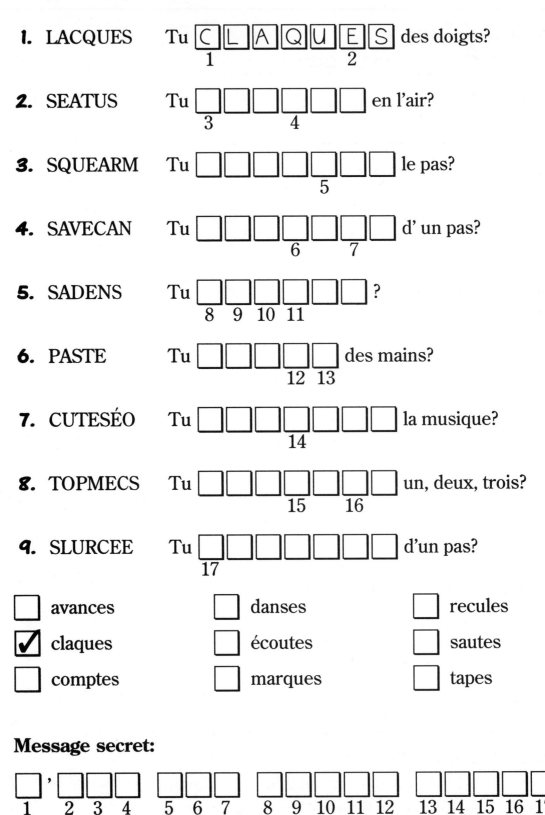

1. LACQUES   Tu C L A Q U E S des doigts?
                    1   2

2. SEATUS   Tu ☐☐☐☐☐ en l'air?
                 3   4

3. SQUEARM   Tu ☐☐☐☐☐☐ le pas?
                      5

4. SAVECAN   Tu ☐☐☐☐☐☐ d' un pas?
                   6   7

5. SADENS   Tu ☐☐☐☐☐ ?
               8 9 10 11

6. PASTE   Tu ☐☐☐☐ des mains?
                  12 13

7. CUTESÉO   Tu ☐☐☐☐☐☐ la musique?
                     14

8. TOPMECS   Tu ☐☐☐☐☐☐ un, deux, trois?
                    15   16

9. SLURCEE   Tu ☐☐☐☐☐☐ d'un pas?
               17

☐ avances   ☐ danses   ☐ recules

✓ claques   ☐ écoutes   ☐ sautes

☐ comptes   ☐ marques   ☐ tapes

Message secret:

☐ ' ☐☐☐ ☐☐☐ ☐☐☐☐☐ ☐☐☐☐☐ !
1   2 3 4   5 6 7   8 9 10 11 12   13 14 15 16 17

96   Thème 6: Les pas   *VISAGES 1   LANGUE ET PRATIQUE*

Toi aussi?

Pose les questions.

1. Je compte... un, deux, trois.

Tu comptes... un, deux, trois _____ aussi?

2. Je danse.

_____ aussi?

3. Je claque des doigts.

_____ aussi?

4. Je saute.

_____ aussi?

5. Je tape des mains.

_____ aussi?

6. J'avance.

_____ aussi?

7. Je recule.

_____ aussi?

8. J'écoute la radio.

_____ aussi?

9. Je marque le pas.

_____ aussi?

Maintenant, pose des questions à ton ou ta partenaire.
– Je compte... un, deux, trois. Tu comptes... un, deux, trois aussi?
– Mais oui, je compte... un, deux, trois!

Je vérifie!

 Un, deux, trois... action!

Complète la phrase avec un verbe convenable.

1. Je <u>saute</u> _____ en l'air.

2. J' <u>avance</u> _____ de deux pas.

3. Tu <u>recules</u> _____ d'un pas?

4. Tu _____ le pas?

5. Tu _____ en l'air?

6. Je _____ des doigts.

7. Tu _____ un, deux, trois?

8. Tu _____ de deux pas?

9. Je _____ des mains.

10. Tu _____ des doigts?

11. Je _____ le pas.

12. Je _____ d'un pas.

13. Tu _____ des mains?

14. Je _____ un, deux, trois.

Je m'appelle : _____

Mon langage actif 2

> Louis, **avance!** Un, deux, trois!
> Non, non! Tu recules! **Avance!**
> Très bien, Louis!
>
> Anne, **compte!** Un, deux, trois!
> **Écoute** la musique! **Marque** le pas!
> Bravo, Anne!

Question ou instruction?

Écoute bien. Est-ce que c'est une question ou une instruction?
Coche (✓) la bonne case.

	1	2	3	4	5	6	7	8
question (?)	✓	☐	☐	☐	☐	☐	☐	☐
instruction (!)	☐	✓	☐	☐	☐	☐	☐	☐

La leçon de danse

Écoute bien la leçon de danse. Quel est l'ordre des instructions?
Utilise les numéros 1 à 8 pour identifier le bon ordre.

Je m'appelle : _____

◆ Dansons ensemble!

Quelles sont les instructions pour la danse?

1. Écoute la musique! _____

2. _____

3. _____

4. _____

5. _____

6. _____

7. _____

8. _____

☐ Avance!   ☐ Marque le pas!

☐ Claque des doigts!   ☐ Recule!

☐ Compte!   ☐ Saute!

☑ Écoute la musique!   ☐ Tape des mains!

Maintenant, fais les actions et donne les instructions à ton ou ta partenaire.

Je m'appelle : _____

Mots croisés: Vive la danse!

C L A Q U E   D E S   D O I G T S

	Avance!		Marque le pas!
☑	Claque des doigts!		Recule!
	Compte!		Saute!
	Danse!		Tape des mains!
	Écoute!		

Je m'appelle : _____

K ◆ C'est dans la poche!

Donne des instructions.

LE KANGOUROU

1. Danse le kangourou _____ !

2. _____ !

3. _____ !

4. _____ !

5. _____ !

6. _____ !

7. _____ !

8. _____ !

9. _____ !

10. _____ !

☐ Avance! ☐ Marque le pas!

☐ Claque des doigts! ☐ Recule!

☐ Compte! ☐ Saute trois fois!

☐ Crie «Koala!» ☐ Tape des mains!

☑ Danse le kangourou! ☐ Tourne!

Je vérifie!

En studio!

Donne des instructions.

1. __Écoute_____!

2. _____!

3. _____!

4. _____!

5. _____!

6. _____!

7. _____!

8. _____!

C'EST EXTRA!

- **Marc écoute** la radio?
- Oui, **il écoute** la radio et **il danse.**
- **Céline marque** le pas?
- Oui, **elle marque** le pas et **elle compte**

On s'amuse!

Il ou **Elle**? Donne des descriptions.

1. C'est Léo.   <u>Il danse</u>_____.

2. C'est Marie.   <u>Elle écoute la radio</u>_____.

3. C'est Paul.   _____.

4. C'est Luc.   _____.

5. C'est Anne.   _____.

6. C'est Louise.   _____.

7. C'est Simon.   _____.

8. C'est Angèle.   _____.

9. C'est Victor.   _____.

10. C'est Nadine.   _____.

Maintenant, pose des questions à ton ou ta partenaire.
- Léo danse?
- Oui, il danse.
- Marie écoute la radio?
- Oui, elle écoute la radio.

Fais dodo!

Louise et Simone sont au gymnase de l'école. La professeure d'éducation physique et les enfants pratiquent une nouvelle danse. C'est une danse mexicaine. La danse s'appelle «La Caramba».

La professeure crie: «Avancez! ...Un, deux, trois! Reculez! ... Un, deux, trois! Marquez le pas! Claquez des doigts! Tapez des mains! Sautez!»

Louise et Simone sont confuses... et très fatiguées...

Louise – Ouf! Je suis crevée!
Simone – Moi, aussi! «La Caramba» est trop difficile!
Louise – Alors, Simone, invente une nouvelle danse! Une danse facile...
Simone – Excellente idée! Et j'ai déjà un nom pour la danse!
Louise – Ah oui? Qu'est-ce que c'est?
Simone – «Le Dodo».
Louise – «Le Dodo»? C'est difficile?
Simone – Mais non! C'est simple! Tu vas au lit... tu fermes les yeux... et tu ne bouges pas pendant huit heures.
Louise – Vive «Le Dodo»!

Mini-quiz

1. Qu'est-ce que la professeure et les enfants pratiquent?

Ils pratiquent _____.

2. Comment sont Louise et Simone?

Louise et Simone_____.

3. Selon Simone, comment est «La Caramba»?

«La Caramba» est _____.

4. Comment s'appelle la nouvelle danse?

Elle s'appelle _____.

5. Qu'est-ce que tu fais dans cette danse?

Tu vas _____ , tu fermes_____ ,

et tu ne _____ pas.

A Au téléphone

Écoute bien chaque conversation.
Souligne la bonne réponse.

Une conversation avec Mario

1. Mario (écoute / <u>pratique</u>) une danse.

2. C'est pour sa classe de (français / musique).

3. La danse, c'est le (Gogo / Pogo).

4. Mario (saute / tourne) beaucoup.

5. Mario (aime / déteste) la danse.

Une conversation avec Lorraine

6. Roger écoute (la radio / ses parents).

7. Il (adore / déteste) la musique rap.

8. Lorraine (adore / déteste) la musique rap aussi.

9. Lorraine invente (une danse / un jeu vidéo).

10. Selon Roger, les actions sont (horribles / formidables).

Dansons!

Écris trois phrases: une question, une réponse et une instruction.

1. <u>Tu marques le pas</u> **?**

<u>Oui, je marque le pas</u> **.**

<u>Marque le pas</u> **!**

2. _____ **?**

_____ **.**

_____ **!**

3. _____ **?**

_____ **.**

_____ **!**

4. _____ **?**

_____ **.**

_____ **!**

5. _____ **?**

_____ **.**

_____ **!**

Invitation à la danse

Le Kool

1. Danse le Kool!
Crie: «Yé! Yé! Yé!»
Tape des mains!
Tape des pieds!

2. Glisse et tourne!
Marque le pas!
Avance! Recule!
Claque des doigts!

3. Danse le Kool!
Chante: «Wâ! Wâ! Wâ!»
Saute en l'air!
Un, deux, trois!

Invente des instructions pour une danse avec au moins six éléments.

_____

_____

_____

_____

_____

_____

_____

_____

_____

_____

_____

Maintenant, présente ta danse à la classe.

Dans la forêt

Mon langage actif 1

- Marie, observe bien! **Qu'est-ce qu'il y a dans** le nid?
- **Il y a un** oiseau dans le nid.
- Très bien. ...Paul, **qu'est-ce qu'il y a sur** la feuille?
- **Il y a une** chenille sur la feuille.

Dans la forêt...

Écoute bien les observations. Coche (✓) **vrai** ou **faux**.

	1	2	3	4	5	6	7	8	9	10
vrai	✓	☐	☐	☐	☐	☐	☐	☐	☐	☐
faux	☐	✓	☐	☐	☐	☐	☐	☐	☐	☐

Observe bien!

Écoute bien les observations. Qu'est-ce qu'il y a dans la forêt?
Écris le numéro dans la bonne case.

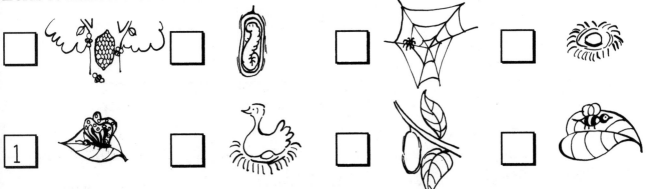

Je m'appelle : _____

C La forêt en images

Qu'est-ce qu'il y a dans la forêt?

1. <u>Il y a</u> <u>un lézard</u> sur une branche.

2. <u>Il y a</u> <u>une abeille</u> dans une ruche.

3. _____ _____ dans un arbre.

4. _____ _____ dans un cocon.

5. _____ _____ dans un arbre.

6. _____ _____ sur une branche.

7. _____ _____ dans un arbre.

8. _____ _____ sur une feuille.

9. _____ _____ dans un nid.

10. _____ _____ dans une toile.

☑ une abeille   ☐ un nid
☐ une araignée   ☐ un œuf
☐ une chenille   ☐ un oiseau
☐ un cocon   ☐ un papillon
☑ un lézard   ☐ une ruche

Maintenant, pose des questions à ton ou ta partenaire.

– Qu'est-ce qu'il y a dans la forêt?   – Qu'est-ce qu'il y a dans la forêt?
– Il y a un lézard sur une branche. – Il y a une abeille dans une ruche.

Copyright © Addison Wesley Longman   Thème 7: Dans la forêt   VISAGES 1 LANGUE ET PRATIQUE

C'est naturel!

1. Voici un ___ ___ n i [d] .

2. Voici une ___ a r [a] i g n é e .

3. Voici ___ ___ ___ ___ ___ ___ [ ] .

4. Voici ___ ___ ___ [ ] ___ ___ ___ .

5. Voici ___ ___ ___ ___ ___ ___ [ ] ___ ___ .

6. Voici ___ ___ ___ ___ [ ] ___ ___ .

7. Voici ___ ___ ___ ___ ___ ___ ___ ___ [ ] .

8. Voici ___ ___ [ ] ___ ___ ___ ___ ___ ___ .

9. Voici ___ ___ [ ] ___ ___ ___ ___ .

10. Voici ___ ___ [ ] ___ ___ ___ .

11. Voici ___ ___ [ ] ___ ___ ___ .

12. Voici ___ ___ [ ] ___ ___ .

Solution:

C'est formidable [ ] [ ] [ ] [ ] [ ] [ ] [ ] [ ] [ ] [ ] [ ] [ ] !

☐ une abeille	☐ un cocon	☐ un oiseau
☑ une araignée	☐ un lézard	☐ un papillon
☐ un arbre	☑ un nid	☐ une ruche
☐ une chenille	☐ un œuf	☐ une toile

Je m'appelle : _____

E Observe et classifie!

Complète les questions. Est-ce que c'est **sur** ou **dans**?

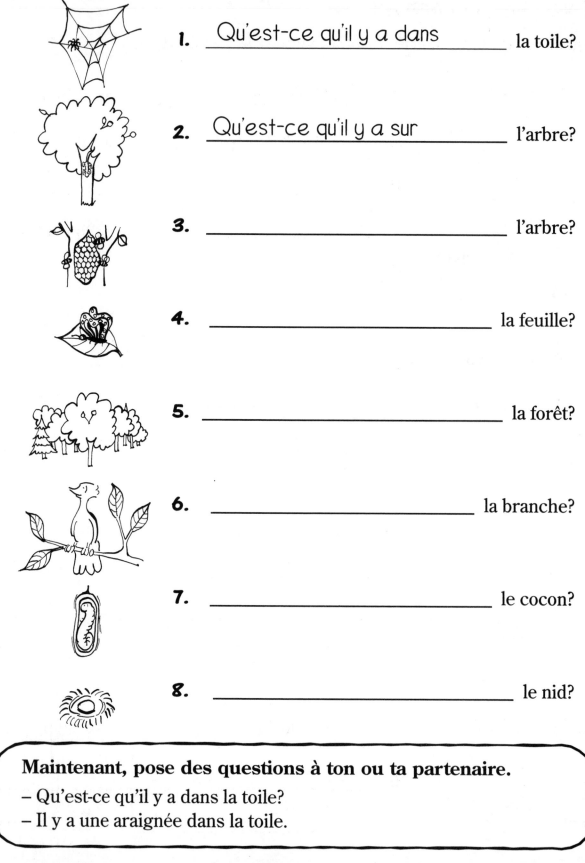

1. _Qu'est-ce qu'il y a dans_____ la toile?

2. _Qu'est-ce qu'il y a sur_____ l'arbre?

3. _____ l'arbre?

4. _____ la feuille?

5. _____ la forêt?

6. _____ la branche?

7. _____ le cocon?

8. _____ le nid?

Maintenant, pose des questions à ton ou ta partenaire.

– Qu'est-ce qu'il y a dans la toile?
– Il y a une araignée dans la toile.

     Thème 7: Dans la forêt   *VISAGES 1 LANGUE ET PRATIQUE*

Je vérifie!

Observe et réponds!

Qu'est-ce qu'il y a dans la forêt? Complète les observations.

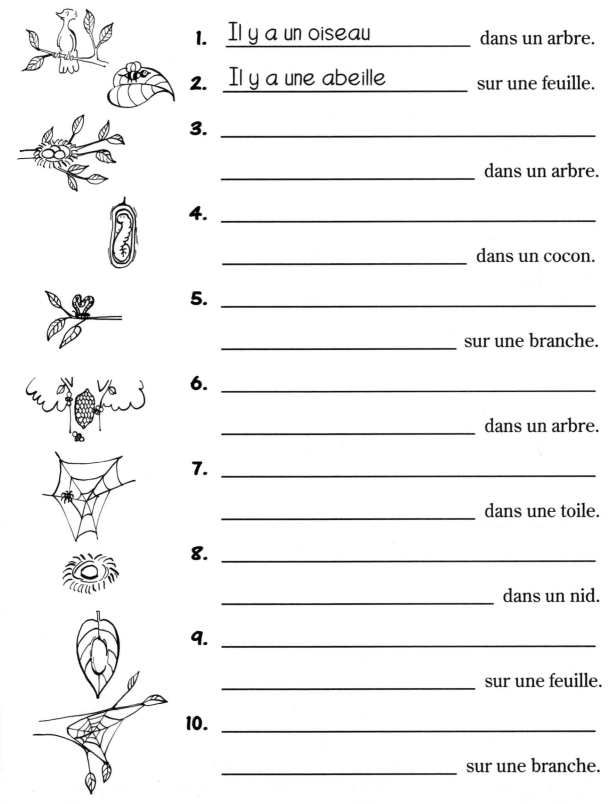

1. __Il y a un oiseau_____ dans un arbre.

2. __Il y a une abeille_____ sur une feuille.

3. _____

   _____ dans un arbre.

4. _____

   _____ dans un cocon.

5. _____

   _____ sur une branche.

6. _____

   _____ dans un arbre.

7. _____

   _____ dans une toile.

8. _____

   _____ dans un nid.

9. _____

   _____ sur une feuille.

10. _____

   _____ sur une branche.

Je m'appelle : _____

Mon langage actif 2

- **Où est le** papillon?
- Sur la branche.

- **Où est l'**oiseau?
- Dans le nid.

- **Où est la** guêpe?
- Sur la feuille.

- **Où est l'**araignée?
- Dans la toile.

G J'écoute et j'identifie!

Écoute bien les questions. Est-ce que c'est **Où est le** ou **Où est la**?
Coche (✓) la bonne case.

	1	2	3	4	5	6	7	8	9	10
Où est le...?	✓	☐	☐	☐	☐	☐	☐	☐	☐	☐
Où est la...?	☐	✓	☐	☐	☐	☐	☐	☐	☐	☐

H Vrai ou faux?

Écoute bien les observations. Souligne **vrai** ou **faux**.

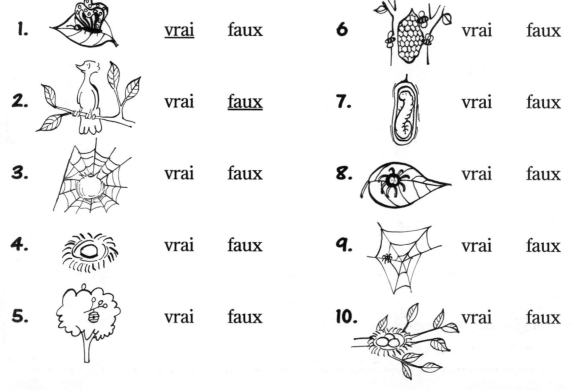

1. <u>vrai</u>   faux

2. vrai   <u>faux</u>

3. vrai   faux

4. vrai   faux

5. vrai   faux

6. vrai   faux

7. vrai   faux

8. vrai   faux

9. vrai   faux

10. vrai   faux

Regarde bien ça!

Complète les instructions.

1. Regarde ___le___ ___cocon___ sur la branche!

2. Regarde ___la___ ___ruche___ dans l'arbre!

3. Regarde ___l'___ ___arbre___ dans la forêt!

4. Regarde _____ _____ sur la feuille!

5. Regarde _____ _____ sur la branche!

6. Regarde _____ _____ dans la toile!

7. Regarde _____ _____ dans l'arbre!

8. Regarde _____ _____ dans le nid!

9. Regarde _____ _____ dans le guêpier!

10. Regarde _____ _____ sur la feuille!

☐ l'abeille ☐ la chenille ☐ le nid ☑ la ruche

☐ l'araignée ☑ le cocon ☐ l'œuf

☑ l'arbre ☐ la guêpe ☐ le papillon

Maintenant, crée des conversations avec ton ou ta partenaire.

– Regarde le cocon!
– Mais où est le cocon?
– Le cocon est sur la branche!

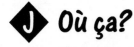
◆J◆ *Où ça?*

Est-ce que c'est **le, la** ou **l'**?

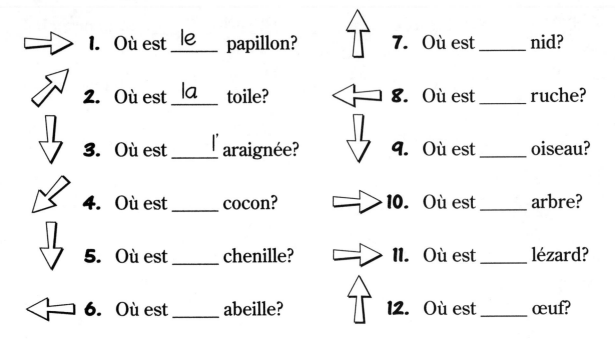

1. Où est __le__ papillon?

2. Où est __la__ toile?

3. Où est ____ l' araignée?

4. Où est ____ cocon?

5. Où est ____ chenille?

6. Où est ____ abeille?

7. Où est ____ nid?

8. Où est ____ ruche?

9. Où est ____ oiseau?

10. Où est ____ arbre?

11. Où est ____ lézard?

12. Où est ____ œuf?

Encercle les mots dans le puzzle!

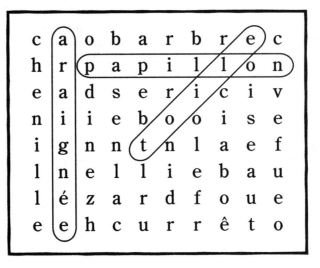

Solution:

_ _ _ _ _ _ _ _ _ _ _

_ _ _ _ _ _ _ _!

Mais où?

Pose des questions. Est-ce que c'est **le**, **la** ou **l'**?

1. – Dans la forêt, il y a un lézard.
   – Ah oui? <u>Où est   le   lézard   </u>?

2. – Dans la forêt, il y a une chenille.
   – Ah oui? <u>Où est   la   chenille   </u>?

3. – Dans la forêt, il y a une abeille.
   – Ah oui? <u>Où est   l'   abeille   </u>?

4. – Dans la forêt, il y a un cocon.
   – Ah oui? <u>   </u>?

5. – Dans la forêt, il y a un oiseau.
   – Ah oui? <u>   </u>?

6. – Dans la forêt, il y a une ruche.
   – Ah oui? <u>   </u>?

7. – Dans la forêt, il y a un guêpier.
   – Ah oui? <u>   </u>?

8. – Dans la forêt, il y a une toile.
   – Ah oui? <u>   </u>?

Maintenant, pose des questions à ton ou ta partenaire.

– Qu'est-ce qu'il y a dans la forêt?   – Ah oui? Où est le lézard?
– Il y a un lézard.   – Le lézard est sur la branche.

Je vérifie!

L Que de questions!

Pose des questions.

1. – <u>Où est le nid</u> _____?

– Dans l'arbre.

2. – <u>Où est la chenille</u> _____?

– Dans le cocon.

3. – <u>Où est l'abeille</u> _____?

– Dans la ruche.

4. – _____?

– Dans la toile.

5. – _____?

– Sur l'arbre.

6. – _____?

– Sur le nid.

7. – _____?

– Sur la feuille.

8. – _____?

– Sur la branche.

9. – _____?

– Dans le guêpier.

10. – _____?

– Dans le nid.

1

- Qu'est-ce que c'est?
- C'est un lézard.

- Qu'est-ce que c'est?
- C'est une abeille.

- Qu'est-ce que c'est?
- **Ce sont des** lézards.

- Qu'est-ce que c'est?
- **Ce sont des** abeilles.

Au pluriel!

1. C'est un arbre.

_Ce_ _sont_ des arbres .

2. C'est une chenille.

_Ce_ _sont_ des chenilles .

3. C'est un œuf.

_____ _____ _____ _____ .

4. C'est une guêpe.

_____ _____ _____ _____ .

5. C'est un papillon.

_____ _____ _____ _____ .

6. C'est une araignée.

_____ _____ _____ _____ .

7. C'est un lézard.

_____ _____ _____ _____ .

8. C'est une toile.

_____ _____ _____ _____ .

9. C'est une ruche.

_____ _____ _____ _____ .

10. C'est un nid.

_____ _____ _____ _____ .

11. C'est une feuille.

_____ _____ _____ _____ .

12. C'est un cocon.

_____ _____ _____ _____ .

 **2**

- **Où sont les** lézards?
- Sur les plantes.

- **Où sont les** guêpes?
- Dans le guêpier.

- **Où sont les** abeil
- Dans la ruche.

Encore du pluriel!

1. Où est le papillon?

   Où ____ sont _____ les ____ papillons _____?

2. Où est la toile?

   Où ____ sont _____ les ____ toiles _____?

3. Où est l'araignée?

   Où ____ sont _____ les ____ araignées _____?

4. Où est le guêpier?

   _____ _____ _____ _____?

5. Où est la ruche?

   _____ _____ _____ _____?

6. Où est l'œuf?

   _____ _____ _____ _____?

7. Où est la guêpe?

   _____ _____ _____ _____?

8. Où est le nid?

   _____ _____ _____ _____?

9. Où est l'arbre?

   _____ _____ _____ _____?

10. Où est la chenille?

   _____ _____ _____ _____?

Chacun son goût!

C'est le week-end. Monsieur Dubé fait du camping avec son fils, Albert. Monsieur Dubé adore la forêt. Il adore dormir sous la tente. Il adore observer les animaux et les insectes...

M. Dubé – Regarde, Albert! Et observe bien! Voilà un guêpier.

Albert – Un guêpier? Qu'est-ce qu'il y a dans un guêpier, papa?

M. Dubé – Il y a des guêpes, bien sûr!

Albert – Des guêpes? Quelle horreur!

M. Dubé – Et voilà une toile d'araignée... avec une belle grosse araignée!

Albert – Beurk! Je déteste les araignées! Je déteste la forêt!

M. Dubé – Mais Albert! La forêt est magnifique... la nature, la solitude, l'air pur!

Monsieur Dubé et Albert passent toute la journée dans la forêt. Enfin, il est temps d'aller au lit...

M. Dubé – Bon, Albert. Tu as des questions pour moi?

Albert – J'ai une seule question, papa.

M. Dubé – Une seule question?

Albert – Oui, papa. Est-ce qu'il y a un motel près d'ici?

Mini-quiz

1. Qu'est-ce que monsieur Dubé fait avec Albert?

Il fait du _____.

2. Qu'est-ce que monsieur Dubé adore observer?

Il adore observer _____.

3. Qu'est-ce qu'il y a dans un guêpier?

Il y a _____.

4. Qu'est-ce qu'il y a dans la toile d'araignée?

Il y a _____.

5. Où est-ce qu'Albert veut dormir?

Albert veut dormir _____.

A Les projets de sciences

Écoute bien chaque présentation.
Souligne la bonne réponse.

Le projet de Louise

1. Dans la forêt, il y a (<u>un arbre</u> / une abeille).

2. Sur une (feuille / branche), il y a une toile d'araignée.

3. Dans la toile, il y a un sac avec des (œufs / chenilles).

4. Dans les œufs, il y a des (mamans / bébés) araignées.

5. Voici (la maman / le papa) araignée.

Le projet de Jean-Luc

6. Dans la forêt, il y un (papillon / oiseau).

7. C'est un (cardinal / monarque).

8. (La maman / Le papa) pond des œufs.

9. Dans les œufs, il y a des (chenilles / lézards).

10. Une chenille fait un (guêpier / cocon).

Des phrases, s'il te plaît!

Écris dix phrases. Dans chaque phrase, utilise un élément différent de chaque liste.

A	**B**
Il y a un papillon	dans le nid
Il y a une araignée	oiseau
Où est le	sur l'arbre
Où est la	guêpe
Où est l'	sur la branche
Le lézard est	dans une ruche
La chenille est	forêt extraordinaire
L'œuf est	sac
Voici une	dans la toile
Qu'est-ce qu'il y a	dans le cocon

1. Il y a un papillon sur la branche _____.

2. _____.

3. _____?

4. _____?

5. _____?

6. _____.

7. _____.

8. _____.

9. _____!

10. _____?

Une présentation scientifique

Dans la forêt, il y a un nid.
Voici le nid.
Le nid est dans un arbre.
Dans le nid, il y a des œufs.
Voici les œufs.
Dans les œufs, il y a des bébés oiseaux.
Voici la maman oiseau.
Elle observe les œufs.

**Présente tes observations, avec un dessin,
sur un des sujets suivants:**

- un cocon
- un guêpier
- un lézard
- une ruche
- une toile d'araignée

D'abord, note tes observations.

_____

_____

_____

_____

_____

_____

_____

_____

_____

Affiche tes observations et ton dessin dans la salle de classe.

Dans une île

Je m'appelle : _____

Mon langage actif 1

- Lucie, **qu'est-ce qu'il y a dans** une île tropicale?
- **Il y a un** lagon et **il y a une** plage.
- Excellent! Et **qu'est-ce qu'il y a sur** une plage?
- Des coquillages et des crabes.

Bienvenue dans une île tropicale!

Écoute bien les conversations. Identifie chaque réponse.
Coche (✓) la bonne case.

Maintenant, indique des illustrations et pose des questions
à ton ou ta partenaire.

– Qu'est-ce qu'il y a
  dans une île tropicale?

– Qu'est-ce qu'il y a
  dans une île tropicale?

– Il y a une plage.

– Il y a des chutes d'eau.

B Dans une île...

Qu'est-ce qu'il y a dans une île tropicale?

1. _Il y a_   un lagon   .

2. _Il y a_   une jungle   .

3. _Il y a_   des montagnes   .

4. _____ _____ .

5. _____ _____ .

6. _____ _____ .

7. _____ _____ .

8. _____ _____ .

9. _____ _____ .

10. _____ _____ .

11. _____ _____ .

12. _____ _____ .

☐ des cavernes   ☐ des crabes   ☐ des oiseaux tropicaux

☐ des chutes d'eau   ☑ une jungle   ☐ une plage

☐ des cochons sauvages   ☑ un lagon   ☐ des poissons tropicaux

☐ des coquillages   ☑ des montagnes   ☐ une rivière

Je m'appelle : _____

Une île-paradis

Forme des mots.

Il y a...

1. OXCRAU ___des___ C O R A U X .
   1

2. GNEISS _____ ☐☐☐☐☐☐ .
   2 3

3. DATHEECUSU _____ ☐☐☐☐☐☐ ☐'☐☐☐ .
   4

4. ANGSTOMEN _____ ☐☐☐☐☐☐☐☐ .
   5

5. SEADRIP _____ ☐☐☐☐☐☐ .
   6

6. SIXAEOU _____ ☐☐☐☐☐☐ tropicaux.
   7

7. SIPSSOON _____ ☐☐☐☐☐☐☐ tropicaux.
   8

8. CASHVUESURISO _____ ☐☐☐☐☐☐☐-☐☐☐☐☐☐ .
   9

9. BRACES _____ ☐☐☐☐☐☐ .
   10 11

10. SQUEALICLOG _____ ☐☐☐☐☐☐☐☐☐☐☐ .
    12

Message secret : ☐'☐☐☐ ☐☐☐☐☐☐☐☐!
                     1 2 3 4 5 6 7 8 9 10 11 12

☐ des chauves-souris ☐ des crabes ☐ des poissons

☐ des chutes d'eau ☐ des montagnes ☐ des rapides

☐ des coquillages ☐ des oiseaux ☐ des singes

☑ des coraux

Je m'appelle : _____

 **J'observe!**

Donne des réponses.

1. Qu'est-ce qu'il y a dans un lagon?

   _Il y a des poissons tropicaux_____ .

   _Il y a des coraux_____ .

2. Qu'est-ce qu'il y a sur une plage?

   _____ .

   _____ .

3. Qu'est-ce qu'il y a dans des montagnes?

   _____ .

   _____ .

4. Qu'est-ce qu'il y a dans une jungle?

   _____ .

   _____ .

☐ des cavernes   ☑ des coraux

☐ des chutes d'eau   ☐ des crabes

☐ des cochons sauvages   ☐ des oiseaux tropicaux

☐ des coquillages   ☑ des poissons tropicaux

Maintenant, pose des questions à ton ou ta partenaire.

– Qu'est-ce qu'il y a dans un lagon?

– Il y a des poissons tropicaux et des coraux.

Je m'appelle : _____

Mais qu'est-ce qu'il y a... ?

Pose des questions.

1. <u>Qu'est-ce qu'il y a sur une plage</u> ?

2. <u>Qu'est-ce qu'il y a dans des coquillages</u> ?

3. _____
   _____ ?

4. _____
   _____ ?

5. _____
   _____ ?

6. _____
   _____ ?

7. _____
   _____ ?

8. _____
   _____ ?

☐ dans des cavernes   ☐ dans une île

✓ dans des coquillages   ☐ dans une jungle

☐ dans des montagnes   ☐ dans une rivière

☐ dans un lagon   ✓ sur une plage

Maintenant, pose des questions à ton ou ta partenaire.

– Qu'est-ce qu'il y a sur une plage?   – Qu'est-ce qu'il y a dans des coquillages?
– Il y a des coquillages.   – Il y a des animaux aquatiques.

Je vérifie!

◆F Mes observations

Complète les phrases.

1. Dans une jungle, _il y a des singes_____.

2. Dans des cavernes, _____
   _____.

3. Sur une plage, _____
   _____.

4. Dans des montagnes, _____
   _____.

5. Dans un lagon, _____
   _____.

6. Dans une île tropicale, _____
   _____.

7. Dans une rivière, _____
   _____.

8. Dans un lagon, _____
   _____.

9. Sur une plage, _____
   _____.

10. Dans une jungle, _____
    _____.

Je m'appelle : _____

Mon langage actif 2

• **Où est le** lagon?	• **Où est la** jungle?	• **Où est l'**île?
• Dans le sud de l'île.	• Dans le nord de l'île.	• Dans l'océan Pacifique.

J'écoute et j'identifie!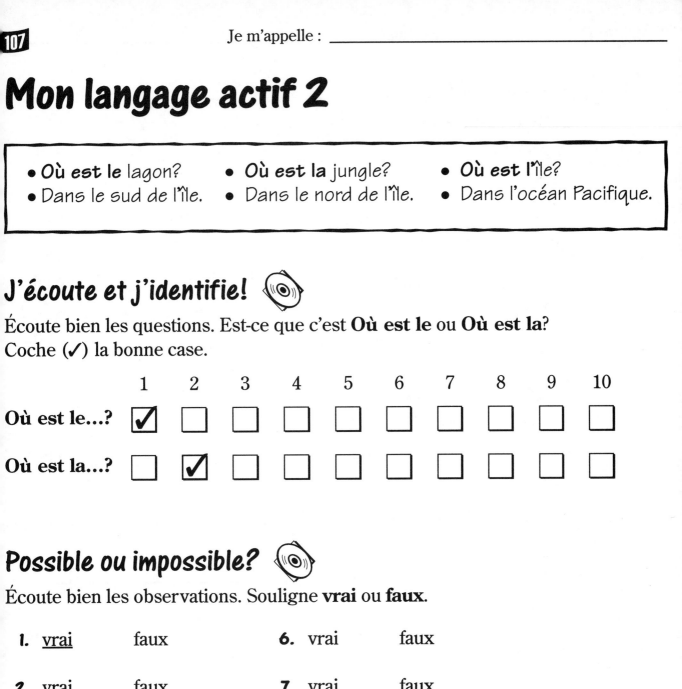

Écoute bien les questions. Est-ce que c'est **Où est le** ou **Où est la**?
Coche (✓) la bonne case.

	1	2	3	4	5	6	7	8	9	10
Où est le...?	✓	☐	☐	☐	☐	☐	☐	☐	☐	☐
Où est la...?	☐	✓	☐	☐	☐	☐	☐	☐	☐	☐

Possible ou impossible?

Écoute bien les observations. Souligne **vrai** ou **faux**.

1. <u>vrai</u>   faux   6. vrai   faux

2. vrai   <u>faux</u>   7. vrai   faux

3. vrai   faux   8. vrai   faux

4. vrai   faux   9. vrai   faux

5. vrai   faux   10. vrai   faux

Je m'appelle : _____

◆1 Explorons l'île!

Complète les phrases.

1. Pauline est dans <u>le</u>   <u>lagon</u>.

2. Léon est dans <u>la</u>   <u>caverne</u>.

3. Martin est dans <u>l'</u>   <u>ouest</u> de l'île.

4. Louise est dans _____ _____ de l'île.

5. Josée est dans _____ _____.

6. Fabien est dans _____ _____ de l'île.

7. André est dans _____ _____.

8. Monique est dans _____ _____.

9. Carole est dans _____ _____ de l'île.

10. Normand est sur _____ _____.

☑ la caverne	☐ la jungle	☐ la rivière
☐ le nord	☐ la plage	☐ les montagnes
☐ l'est	☑ le lagon	☐ le sud
☑ l'ouest		

Maintenant, pose des questions à ton ou ta partenaire.

   – Où est Pauline?
   – Pauline est dans le lagon.

Je m'appelle : _____

Où est le trésor caché?

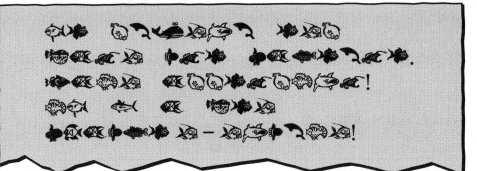

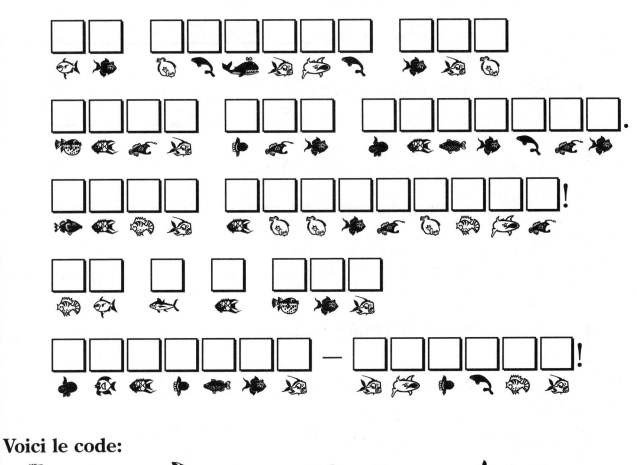

Voici le code:

= A		= G		= N		= U
= B		= H		= O		= V
= C		= I		= P		= W
= D		= J		= Q		= X
= E		= K		= R		= Y
= É		= L		= S		= Z
= F		= M		= T		

Compose un message en code pour un ami ou une amie.

Je vérifie!

 Ah oui?

Pose des questions.

1. – Il y a un poisson dans le lagon.
   – Ah oui? <u>Où est</u> <u>le poisson</u> ?

2. – Il y a une chauve-souris dans la caverne.
   – Ah oui? <u>Où est</u> <u>la chauve-souris</u> ?

3. – Il y a une île dans l'océan Pacifique.
   – Ah oui? <u>Où est</u> <u>l'île</u> ?

4. – Il y a une rivière dans le sud de l'île.
   – Ah oui? _____ _____ ?

5. – Il y a une jungle dans le nord de l'île.
   – Ah oui? _____ _____ ?

6. – Il y a une plage dans l'ouest de l'île.
   – Ah oui? _____ _____ ?

7. – Il y a un lagon dans l'est de l'île.
   – Ah oui? _____ _____ ?

8. – Il y a un oiseau tropical dans la jungle.
   – Ah oui? _____ _____ ?

Maintenant, pratique les conversations avec ton ou ta partenaire.
– Il y a un poisson dans le lagon.
– Ah oui? Où est le poisson?

 **1**

> - Qu'est-ce que c'est?
> - C'est un crabe.
>
> - Qu'est-ce que c'est?
> - C'est une caverne.
>
> - Qu'est-ce que c'est?
> - **Ce sont des** crabes.
>
> - Qu'est-ce que c'est?
> - **Ce sont des** cavernes.

Au pluriel!

1. C'est un singe.

Ce _____ sont _____ des _____ singes _____.

2. C'est une rivière.

Ce _____ sont _____ des _____ rivières _____.

3. C'est un poisson.

_____ _____ _____ _____.

4. C'est une île.

_____ _____ _____ _____.

5. C'est un cochon.

_____ _____ _____ _____.

6. C'est une jungle.

_____ _____ _____ _____.

7. C'est une caverne.

_____ _____ _____ _____.

8. C'est un crabe.

_____ _____ _____ _____.

9. C'est un coquillage.

_____ _____ _____ _____.

10. C'est une montagne.

_____ _____ _____ _____.

11. C'est un lagon.

_____ _____ _____ _____.

12. C'est une plage.

_____ _____ _____ _____.

C'EST EXTRA! 2

- **Où sont les** poissons? • **Où sont les** cavernes? • **Où sont les** îles?
- Dans le lagon. • Dans les montagnes. • Dans l'océan Pacifiqu

---

Encore du pluriel!

1. Où est le crabe?

_Où_ _sont_ _les_ _crabes_ ?

2. Où est la plage?

_Où_ _sont_ _les_ _plages_ ?

3. Où est l'océan?

_Où_ _sont_ _les_ _océans_ ?

4. Où est le coquillage?

____ ____ ____ ____ ?

5. Où est la rivière?

____ ____ ____ ____ ?

6. Où est l'île?

____ ____ ____ ____ ?

7. Où est le singe?

____ ____ ____ ____ ?

8. Où est la caverne?

____ ____ ____ ____ ?

9. Où est la montagne?

____ ____ ____ ____ ?

10. Où est le cochon?

____ ____ ____ ____ ?

Quelle aventure!

David et Julie sont de Montréal. Ils sont en visite à La Martinique. La Martinique est une magnifique île tropicale. Leur guide, Simon, arrive à l'hôtel...

Simon – Bon! Aujourd'hui, nous explorons les cavernes dans le nord de l'île.

David – Les cavernes?

Simon – Oui! Elles sont magnifiques!

Julie – Qu'est-ce qu'il y a dans les cavernes?

Simon – Oh, il y a des insectes très intéressants! Il y a aussi des araignées géantes... et des chauves-souris, bien sûr.

David – Des insectes, des araignées et des chauves-souris? C'est horrible!

Simon – Eh bien, vous préférez la mer?

Julie – Ah oui! J'adore l'eau!

Simon – Super! Nous allons faire de la plongée! Il y a aussi des cavernes sous la mer.

David – Qu'est-ce qu'il y a dans les cavernes, Simon?

Simon – Oh, c'est formidable! Il y a des requins, des pieuvres et des crabes géants...

Julie – Des requins, des pieuvres et des crabes géants? C'est horrible!

Simon – Mais, Julie, la plongée est merveilleuse! Et tu adores l'eau, n'est-ce pas?

Julie – Oui, Simon. J'adore l'eau. Et c'est pourquoi, aujourd'hui, je reste ici à la piscine de l'hôtel!

Mini-quiz

1. Qu'est-ce que c'est que La Martinique?

La Martinique est _____.

2. Qu'est-ce qu'il y a dans les cavernes dans le nord de l'île?

Il y a _____.

3. Qu'est-ce que Julie adore?

Elle adore _____.

4. Qu'est-ce qu'il y a dans les cavernes sous l'eau?

Il y a _____.

5. Où est-ce que Julie reste aujourd'hui?

Elle reste _____.

A Une île spectaculaire!

Écoute bien la présentation. Souligne la bonne réponse.

1. L'île, c'est (<u>Tahiti</u> / la Guadeloupe).

2. Dans cette île, on parle (français / italien).

3. L'île est située en (Polynésie / Afrique).

4. L'île est située dans l'océan (Atlantique / Pacifique).

5. Dans l'île, il y a des (singes / plages) formidables.

6. Il y a aussi des chutes d'eau et des (cavernes / icebergs).

7. Les (oiseaux / touristes) sont magnifiques.

8. Il y a aussi des (éléphants / poissons) tropicaux.

9. Dans cette île, il (fait du soleil / neige).

10. Cette île est un (paradis / poisson) tropical.

Des phrases, s'il te plaît!

Écris dix phrases. Dans chaque phrase, utilise un élément
différent de chaque liste.

A	**B**
Il y a un poisson tropical	dans les cavernes
Il y a une rivière	plage
Il y a des chauves-souris	dans une île tropicale
Où est le	dans l'est de l'île
Où est la	dans l'océan Pacifique
Où est l'	dans le nord de l'île
Le coquillage est	oiseau tropical
La jungle est	sur la plage
L'île est	dans le lagon
Qu'est-ce qu'il y a	crabe

1. __Il y a un poisson tropical dans le lagon_____ .

2. _____ .

3. _____ .

4. _____ ?

5. _____ ?

6. _____ ?

7. _____ .

8. _____ .

9. _____ .

10. _____ ?

 Une carte postale de Tahiti

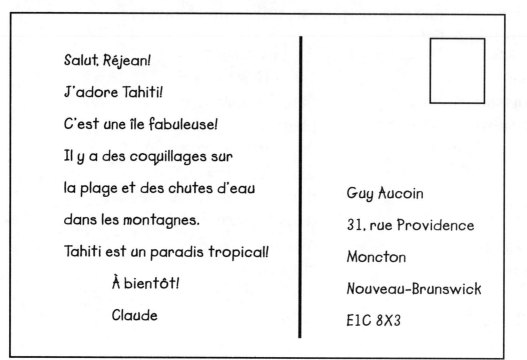

Salut, Réjean!

J'adore Tahiti!

C'est une île fabuleuse!

Il y a des coquillages sur

la plage et des chutes d'eau

dans les montagnes.

Tahiti est un paradis tropical!

À bientôt!

Claude

Guy Aucoin

31, rue Providence

Moncton

Nouveau-Brunswick

E1C 8X3

Imagine que tu es à Tahiti.
Écris une carte postale à un ami ou une amie.

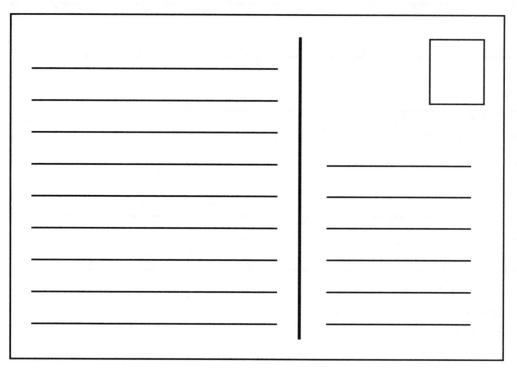

Présente et affiche ta carte postale dans la salle de classe.

Les animaux de compagnie

Les mots actifs

noms masculins

un animal (des animaux) *animal*

un animal (des animaux) de compagnie *pet*

un chat *cat*

un cheval (des chevaux) *horse*

un chien *dog*

un hamster *hamster*

un lapin *rabbit*

un oiseau (des oiseaux) *bird*

un perroquet *parrot*

un poisson *fish*

un serpent *snake*

noms féminins

une gerbille *gerbil*

une souris *mouse*

une tortue *turtle*

adjectifs

adorable *lovable, adorable*

chouette *cute, nice*

extraordinaire *outstanding, extraordinary*

formidable *great, fantastic, amazing*

horrible *horrible*

super *great*

expressions

Bonjour! *Hello!*

J'adore les ... *I love ...*

J'ai ... ans *I am ... (years old).*

Je m'appelle ... *My name is ...*

Je veux un/une ... *I want a ...*

non *no*

oui *yes*

Salut! *Hi!*

Tu veux un/une ... ? *Do you want a ...?*

Mon langage actif

Qu'est-ce que c'est?	C'est un ...
	C'est une ...
Tu as un ... ?	Oui, j'ai un ...
	Il s'appelle ...
Tu as une ... ?	Oui, j'ai une ...
	Elle s'appelle ...
Tu aimes les ... ?	Oui, j'aime les ...
	Non, je déteste les ...

C'est extra!

Jacques a un ... ?	Oui, il a un ...
Sophie a une ... ?	Oui, elle a une ...

La télévision

Mes mots actifs

noms masculins

un dessin animé *cartoon*
un documentaire *documentary*
un drame *drama*
un feuilleton *soap opera*
un film *movie*
un jeu (des jeux) *game (show)*

noms féminins

une comédie *comedy (show)*
une émission *show, program*
une émission de vidéoclips *music video show*
une émission de sports *sports show*
une interview *interview*
les nouvelles *news*

adjectifs

extraordinaire *outstanding, extraordinary*
formidable *great, fantastic, amazing*
horrible *horrible*
préféré, préférée *favourite*
super *great*

expressions

Bonjour! *Hello!*
J'adore les ... *I love ...*
J'ai ... ans. *I am ... (years old).*
Je m'appelle ... *My name is ...*
non *no*
oui *yes*
Salut! *Hi!*

Mon langage actif

Qu'est-ce que c'est?   C'est un ...
                        C'est une ...

Tu as un ... préféré?   Oui, j'ai un ... préféré.
Tu as une ... préférée?   Oui, j'ai une ... préférée.

Tu aimes les ... ?   Oui, j'aime les ...
                      Non, je déteste les ...

C'est extra!

Jacques a un ... ?   Oui, il a un ...
Sophie a une ... ?   Oui, elle a une ...

Les clowns

Mes mots actifs

noms masculins

un clown *clown*

un cirque *circus*

un défilé *parade*

un spectacle *show; performance*

nom féminin

une fête *birthday*

adjectifs

comique *funny*

confus, confuse *confused*

content, contente *happy*

fâché, fâchée *angry*

fatigué, fatiguée *tired*

nerveux, nerveuse *nervous*

surpris, surprise *surprised*

timide *shy, bashful*

triste *sad, unhappy*

expressions

Bravo! *Well done!*

très *very*

Mon langage actif

Il est ... ?	Oui, il est ... Non, il est ...
Elle est ... ?	Oui, elle est ... Non, elle est ...
Tu es ... ?	Oui, je suis ... Non, je suis ...

C'est extra!

Qui est-ce?	C'est Marc. C'est Claire.

Les héros

Mes mots actifs

noms masculins

un héros *hero*

un superhéros *superhero*

noms féminins

une héroïne *hero*

une superhéroïne *superheroine*

adjectifs

courageux, courageuse *brave*

créatif, créative *creative*

exceptionnel, exceptionnelle *special, exceptional*

fort, forte *strong*

généreux, généreuse *generous*

intelligent, intelligente *smart, clever, intelligent*

rapide *quick, fast*

serviable *helpful*

sportif, sportive *athletic; fond of sports*

super-fort, super-forte *super-strong*

sympa *nice, friendly*

expressions

capable de voler *able to fly*

Hourra! *Yay! Hurray!*

Parce que... *Because...*

Pourquoi? *Why?*

très *very*

Mon langage actif

Il est ... ? Oui, il est ...

Non, il est ...

Elle est ... ? Oui, elle est ...

Non, elle est ...

Tu es ... ? Oui, je suis ...

Non, je suis ...

C'est extra!

Qui est-ce? C'est Marc.

C'est Claire.

Les pattes

Mes mots actifs

noms masculins

un canard *duck*

un couguar *cougar*

un écureuil *squirrel*

un lièvre *hare*

un mouton *sheep*

nom féminin

une patte *paw, foot*

verbes

creuser *to dig*

grimper *to climb (up)*

marcher *to walk*

nager *to swim*

sauter *to jump*

voler *to fly*

expressions

Achète! *Buy!*

bien *well*

comme moi *like me*

comme un ... *like a ...*

Cours! *Run!*

je cours *I run, I'm running*

tu cours *you run, you're running*

vite *fast, quickly*

Mon langage actif

Tu marches bien?   Oui, je marche bien.

Marche!

C'est extra!

Paul saute bien?   Oui, il saute bien.

Lise nage vite?   Oui, elle nage vite.

Les pas

Mes mots actifs

nom masculin

un pas *step, footstep*

nom féminin

une danse *dance*

verbes

avancer *to step forward, to take a step forward*

claquer des doigts *to snap one's fingers*

compter *to count*

danser *to dance*

écouter la musique/la radio *to listen to music/the radio*

marquer le pas *to march on the spot, to mark time*

reculer *to step back, to take a step backward*

sauter *to jump (up)*

taper des mains *to clap one's hands*

expressions

La musique est super! *The music is great!*

Tourne! *Turn (around)!*

Très bien! *Very good! Well done!*

Un, deux, trois, quatre! *One, two, three, four!*

Mon langage actif

Tu danses?   Oui, je danse.

Danse!

C'est extra!

Daniel saute?   Oui, il saute.

Margot marque le pas?   Oui, elle marque le pas.

Dans la forêt

Mes mots actifs

noms masculins

un arbre *tree*

un cocon *cocoon*

un guêpier *wasp's nest*

un lézard *lizard*

un nid *(bird's) nest*

un œuf *egg*

un oiseau (des oiseaux) *bird*

un papillon *butterfly*

un sac *sack, sac*

noms féminins

une abeille *bee*

une araignée *spider*

une branche *branch*

une chenille *caterpillar*

une feuille *leaf*

une forêt *forest*

une guêpe *wasp*

une ruche *beehive*

une toile d'araignée *spider's web*

expressions

Attention! *Pay attention! Watch out!*

dans *in, inside; into*

Observe bien! *Observe carefully!*

Oh là là! *Wow!*

Regarde! *Look!*

sur *on*

voici *here is/are*

Mon langage actif

Qu'est-ce qu'il y a dans ... ?   Il y a un ...

Qu'est-ce qu'il y a sur ... ?   Il y a une ...

Où est le ... ?   Le ... est sur ...

Où est la ... ?   La ... est dans ...

Où est l'... ?   L'... est sur...

    L'... est dans ...

C'est extra!

Qu'est-ce que c'est?   Ce sont des ...

Où sont les ... ?

Mes mots actifs

noms masculins

un cochon sauvage *wild pig, boar*

un coquillage *seashell*

des coraux *coral*

un crabe *crab*

un lagon *lagoon*

un océan *ocean*

un oiseau tropical (des oiseaux tropicaux) *tropical bird*

un poisson tropical (des poissons tropicaux) *tropical fish*

un singe *monkey*

noms féminins

une caverne *cave*

une chauve-souris *bat*

des chutes d'eau *waterfalls*

une île (tropicale) *(tropical) island*

une jungle *jungle*

une montagne *mountain*

une plage *beach*

des rapides *rapids*

une rivière *river*

expressions

dans *in, inside; into*

dans l'est de l'île *on the East (side) of the island*

dans l'ouest de l'île *on the West (side) of the island*

dans le nord de l'île *on the North (side) of the island*

dans le sud de l'île *on the South (side) of the island*

sur *on*

voici *here is/are*

Mon langage actif

Qu'est-ce qu'il y a dans ... ?   Il y a un ...

Qu'est-ce qu'il y a sur ... ?   Il y a une ...

Où est le ... ?   Le ... est sur ...

Où est la ... ?   La ... est dans ...

Où est l'... ?   L'... est sur...

L'... est dans ...

C'est extra!

Qu'est-ce que c'est?   Ce sont des ...

Où sont les ... ?

Lexique

A

à to; at; in; **à la** at the

une **abeille** bee

achète buy

un **acteur** (male) actor

actif, active active

une **actrice** (female) actor

un **adjectif** adjective

admirer to admire

admise admitted

adorable lovable, adorable

adorer to adore

une **affiche** poster

afficher to display

l'**Afrique** Africa

l'**âge** age; **Quel âge as-tu?** How old are you?
Quel âge a-t-il/elle? How old is he/she?

âgé, âgée: âgé de 14 ans fourteen years old

une **agence** agency

un(e) **agent(e) de police** police officer

agile agile, nimble, quick

agréable nice, pleasant

aide help(s)

aider to help

aimable nice, likeable

aimer to like; to love

aimons: nous aimons we like; we love

l'**air** air; **en l'air** in the air

à la at the

l'**Allemagne** Germany

aller to go

Allez! Go! Move!

Allô! Hello! (on the telephone)

Allons! Let's go!

alors well; then; so

un **ami** (male) friend

une **amie** (female) friend

amitiés yours truly, best regards

amusant(e) amusing, funny

un **an** year

un **animal (des animaux)** animal

un **animal de compagnie** pet

un **animateur** host

une **année** year

un **anniversaire** birthday; **Bon anniversaire!** Happy birthday! **C'est quand ton anniversaire?** When's your birthday?

ans: J'ai neuf ans. I'm nine years old. **Il/Elle a dix ans.** He's/She's ten years old.

août August

s'appeler: to be called; **Comment t'appelles-tu?** What's your name? **Comment s'appelle-t-il/elle?** What's his/her name? **Je m'appelle...** My name is... **Il/Elle s'appelle...** His/Her name is...

l'**après-midi** in the afternoon

un **aquarium** aquarium, fish tank

aquatique aquatic, water

une **araignée** spider

un **arbre** tree

un **arlequin** harlequin (clown)

l'**arrivée** finish (game)

arriver to arrive

un(e) **artiste** artist, painter

un(e) **astronaute** astronaut

un **atelier** workshop

un(e) **athlète** athlete

Attention! Watch out! Look out!

au at the; on the

aujourd'hui today

Au revoir! Good-bye!

aussi also, too

Au secours! Help!

l'**automne** autumn, fall

autre other

les **autres** others

avancer to go forward, to step forward

avant before

une **aventure** adventure

les **aveugles** blind, visually impaired people

avril April

B

un **ballon** balloon

une **bande dessinée** comic (book)

une **barbe** beard

beau, beaux; belle, belles beautiful, pretty; handsome; nice; **Il fait beau.** It's nice (weather).

beaucoup a lot

bébé kid's stuff, childish

un(e) **bébé** baby

un(e) **bénévole** volunteer

un **berger allemand** German shepherd

Beurk! Yuck!

une **bicyclette** bicycle

bien well; good; **C'est bien!** That's good! Well done! **Bien sûr!** Of course!

bientôt: À bientôt! See you soon!

bizarre odd, strange

blanc, blanche white

bleu(e) blue

bon, bonne good; right; correct; **Bon anniversaire!** Happy birthday!

le **bonheur** happiness

Bonjour! Hello!

Bonne fête! Happy birthday!

une **botte** boot

une **bouche** mouth

bouger: to move; **Tu ne bouges pas.** You don't move.

branché(e) cool, "in", "with it"

Bravo! Well done! Hurray!

brouter to graze

C

ça that; this; it

caché hidden

cacher to hide

une **cage** cage

Ça va? How are you (doing)? How is it going?

Ça va bien. I'm fine. I'm doing well.

Ça va mal. I'm not well. Things are going badly.

Ça va très bien. I'm doing very well.

un **cahier** notebook

un **calendrier** calendar

canadien, canadienne Canadian

un **canal** TV channel

un **canard** duck

un **canari** canary

capable de voler able to fly

un(e) **capitaine** captain

une **carte** card; **carte postale** postcard

une **case** square, box

un **castor** beaver

une **caverne** cave

célèbre famous

un **cercle** circle

une **cérémonie d'investiture** awards ceremony

ces these; those

c'est it is; this is; that is

ce sont they are; these are

c'était it was

cette this; that

Chacun son goût! Each to his/her own taste!

la **chaîne alimentaire** food chain

un **champion** (male) champion

un **championnat** championship

une **championne** (female) champion

chanceux, chanceuse lucky

une **chanson** song

un **chanteur** (male) singer

une **chanteuse** (female) singer

Chantons! Let's sing!

Chapeau! Congratulations! Well done!

chaque each

charmant(e) charming

une **chasse au trésor** treasure hunt

chasser to hunt

un **chat** (male) cat

un **chaton** kitten

une **chatte** (female) cat

chaud: Il fait chaud. It's hot (weather).

un **chauffeur** driver, chauffeur

une **chaussure** shoe

une **chauve-souris (des chauves-souris)** bat

une **chenille** caterpillar

cher, chère dear

cherche look(s) for

chercher to look for

un **cheval (des chevaux)** horse

les **cheveux** hair

chez nous at our place

un **chien** dog

choisis choose

choisissez choose

chouette cute, nice; **(C'est) chouette!** (It/That is) great/neat/cool!

les **choux** cabbages

des **chutes d'eau** waterfalls

un **cinéma** movie theatre; **le cinéma** movies
   cinq five

un **cinquain** poem with 5 lines

un **cirque** circus
   claquer des doigts to snap one's fingers

une **classe** class
   classifier to classify

un **clown** clown

un **clown-conteur** story-telling clown

un **cobaye** guinea pig
   cocher to check off

un **cochon** pig

un **cochon sauvage** wild pig, boar

un **cocon** cocoon

un **code (secret)** (secret) code; **en code** in
   code, coded

la **colère** anger

une **collection** collection

la **Colombie-Britannique** British Columbia

une **comédie** comedy
   comique funny
   comme like; **comme moi** like me; **comme
   un** like a; **comme ci comme ça** so-so
   commencer to begin, to start;
   Commencez! Start! Begin!
   comment how; **Comment ça va?** How are
   you? How is it going? **Comment est...?**
   What is ... like? **Comment s'appelle-t-il/
   elle?** What is his/her name? **Comment
   t'appelles-tu?** What is your name?

une **communauté** community
   compter to count

une **comptine** nursery rhyme

un **concert** show, concert
   confus(e) confused

un **congrès** convention

un **conte** story
   content(e) happy
   contre against
   convenable appropriate

une **conversation** conversation

un **coquillage** seashell

des **coraux** coral
   correctement correctly, right

un **couguar** cougar

une **couleur** colour; **de toutes les couleurs**
   of/in every colour
   courageux, courageuse brave
   courir to run
   cours: Cours! Run! **je cours** I run; **tu cours**
   you run

une **course** race; **course de haies** hurdles;
   course de fond long distance race
   court: il/elle court he/she runs

un **crabe** crab
   créatif, créative creative
   créer to create
   creuser to dig
   crevé(e) exhausted
   crier to shout, to yell (out), to call
   curieux, curieuse curious

le **cycle de vie** life cycle

D

dans in, inside; into; **dans l'est/l'ouest/
   le nord/le sud de** on the East/
   West/North/South side of
dansant: en dansant dancing

une **danse** dance
   danser to dance

un **danseur** (male) dancer

une **danseuse** (female) dancer

une **date** date: **Quelle est la date?** What is the
   date?
   de of; from; belonging to
   décembre December

les **déchets** garbage; litter
   décoder to decode

un **défilé** parade

une **définition** definition
   déjà already
   demain tomorrow

une **démonstration** demonstration
   démontrer to show

le **départ** start (game)

un **désert** desert

un **dessin** drawing, sketch
   dessiner to draw, to sketch; **dessinez** draw

un **dessin animé** cartoon
   déterminé(e) determined, focused
   détester to hate, to detest
   deux two

un **dictionnaire** dictionary

difficile difficult, hard

dimanche Sunday

le **dîner** dinner, supper

dis say

une **dispute** argument

dites say

dix ten

un **documentaire** documentary (show)

dodo: Fais dodo! Go to sleep!

un **doigt** finger

dormir to sleep

douze twelve

un **drame** drama, dramatic show

droite right; **à droite** to the right

du some; of (the)

dynamique dynamic, alive

E

l'**eau** water

une **école** school

écossais(e) Scottish

écouter to listen (to); **écoutons** let's listen (to)

écris write

un **écureuil** squirrel

l'**éducation physique** physical education

un **éléphant** elephant

un(e) **élève** student, pupil

elle she; **elle a** she has; **elle est** she is

elles they; **elles sont** they are

une **émission** TV show; **émission de sciences** science show; **émission de sports** sports show; **émission de vidéoclips** music video show; **émission jeunesse** show for young people

des **empreintes** (animal) tracks

en in; **en classe** in the classroom; **en l'air** in(to) the air; **en studio** in the studio

encercler to circle

encore again, once more; **encore une fois** once again; one more time

un(e) **enfant** child

enfin finally, at last

ensemble together

Entrez! Come in!

l'**environnement** environment

un(e) **équilibriste** tightrope walker

une **équipe** team

es: tu es you are

est: il/elle est he/she is

l'**est** east

et and; plus

l'**été** summer

excellent(e) excellent

exceptionnel, exceptionnelle exceptional, special

une **exploratrice** (female) explorer

explorer to explore

extraordinaire extraordinary, outstanding

F

fabuleux, fabuleuse fabulous, wonderful

fâché(e) angry

facile easy

fais do; make; **Fais le clown!** Be a clown! **Fais dodo!** Go to sleep!

faisons let's make

fait: il/elle fait he/she does/makes

une **famille** family

un **fantôme** ghost

fatigué(e) tired

faux false

Félicitations! Congratulations!

une **femme** woman

fermer to close; **tu fermes les yeux** you close your eyes

féroce fierce, ferocious

une **fête** birthday; holiday; **Bonne fête!** Happy birthday!

une **feuille** sheet (paper); leaf

un **feuilleton** soap opera

février February

une **fiche** form; card

fidèle faithful

une **fille** girl

un **film** movie

un **fils** son

la **fin** end

finalement finally, at last

une **flamme** flame

fleurit flowers

une **fois** time; **une fois** (one) time, once

font make; equal

une **forêt** forest

formidable great, fantastic, amazing

fort(e) strong

le **fou du roi** court jester

frais: Il fait frais. It's cool (weather).

français(e) French

un **frère** brother

froid: Il fait froid. It's cold (weather).

un **furet** ferret

une **fusée** rocket

G

gagner to win; **gagnent** win; **a gagné** won

galoper to gallop

un **garçon** boy

gauche left; **à gauche** to the left

un **geai bleu** bluejay

géant(e) giant(-sized), huge

une **gerbille** gerbil

généreux, généreuse generous

un **génie** genius; **génies en herbe** budding
    geniuses

un **geste** action; gesture

une **girafe** giraffe

un **gland** acorn

glisser to slide

un **gorille** gorilla

grand(e) big; tall

une **grand-mère** grandmother

un **grand-père** grandfather

une **grenouille** frog

grimper to climb

gros, grosse fat; big

une **guêpe** wasp

un **guêpier** wasp's nest

un **guide** guide

guidé: a guidé guided, led

une **guitare** guitar

un **gymnase** gymnasium

H

habiter to live; **habitent** live; **j'habite**
    I live

un **hamster** hamster

Hé! Hey!

une **héroïne** (female) hero

héroïque heroic

un **héros** (male) hero

heures: à ... heures at ... o'clock

l' **hiver** winter

honnête honest

un **hôpital** hospital

une **horreur** horror; **Quelle horreur!**
    How/That's horrible!

un **hôtel** hotel

Hourra! Hurray!

huit eight

une **hutte** hut

I

ici here

une **idée** idea

identifier to identify

il he; **il a** he has; **il est** he is

il y a there is; there are

une **île (tropicale)** (tropical) island

ils they; **ils sont** they are

une **image** picture

incroyable incredible, unbelievable

indien, indienne Indian

indiquer to point out, to indicate

injuste unfair

un **insecte** insect

intelligent(e) intelligent, smart

intéressant(e) interesting

une **interview** interview

un(e) **invité(e)** guest

l'**italien** Italian

J

j'ai I have

j'aime I like; I love

janvier January

J'arrive! I'm coming! I'm on my way!

jaune yellow

je I; **Je m'appelle ...** My name is ...; **Je te
    présente ...** Let me introduce ... to you.
    Here's ...

un **jeu (des jeux)** game; game show; **les jeux
    Olympiques spéciaux** Special Olympics

jeudi Thursday

jeune young

la **jeunesse** youth

joli(e) pretty; lovely, nice

un **jongleur** (male) juggler

une **jongleuse** (female) juggler

jouer to play; **jouer au hockey** to play
    hockey; **jouer de la guitare** to play the
    guitar

un **joueur** (male) player
une **joueuse** (female) player
un **jour** day; **Quel jour est-ce?** What day is it?
un **journal** newspaper; journal, diary
une **journée** day
les **jours de la semaine** days of the week
juillet July
juin June
une **jungle** jungle
jusqu'à as far as; up to

K

un **kangourou** kangaroo
un **koala** koala (animal native to Australia)

L

la (l') the
un **lac** lake
un **lagon** lagoon
lancer to throw
un **langage** language
un **lapin** rabbit
le (l') the
une **leçon** lesson
une **légende** legend; caption
les the
une **lettre** letter
leur their
Lève le pied! Lift/Raise your foot!
Lève-toi! Stand up!
Levez-vous! Stand up!
un **lexique** dictionary; vocabulary
un **lézard** lizard
un **lièvre** hare
une **ligue** league
une **limousine** limousine
un **lion** lion
lire to read
lis read
un **lit** bed
un **livre** book
long, longue long
lui him
lundi Monday

M

ma my

madame madam, Mrs.
un **magazine** magazine
un **magicien** (male) magician
une **magicienne** (female) magician
magique magic
magnifique magnificent, outstanding
mai May
une **main** hand
maintenant now
mais but; **Mais oui!** Of course! **Mais non!** Of course not!
une **maison** house
un **maître** master, pet owner
maman mother, mom
manger to eat
le **maquillage** make-up
marchant: en marchant walking
marcher to walk
mardi Tuesday
une **marionnette** puppet
marquer le pas to mark time
mars March
un **match** game; **match de hockey/soccer** hockey/soccer game
un **mathématicien** (male) mathematician
une **mathématicienne** (female) mathematician
les **mathématiques** mathematics
le **matin** (in the) morning
une **médaille d'or** gold medal
meilleur(e) (the) best
un **mélange** mixture
mentionné(e) mentioned
la **mer** sea
merci (beaucoup) (de) thank you (very much) (for)
mercredi Wednesday
Mercure Mercury (planet)
une **mère** mother
un **merle** robin
merveilleux, merveilleuse marvelous, fabulous
mes my
un **message** message
mesure: mesure un mètre is one metre long
la **météo** weather (report)
un **metteur en scène** movie director
mexicain(e) Mexican

la **mode** fashion; way, manner; **à la mode de chez nous** the way we do

moi me; **moi aussi** me too

moins less; minus; **au moins** at least

un **mois** month

les **mois de l'année** months of the year

un **monarque** monarch

monsieur mister, Mr.

une **montagne** mountain

un **monument** monument

un **mot** word

un **mots croisés** crossword (puzzle)

un **mousquetaire** musketeer

un **mouton** sheep

mûr(e) mature, full-grown

un **musicien** (male) musician

une **musicienne** (female) musician

la **musique** music

mystérieux, mystérieuse mysterious

N

nager to swim

ne ... pas not

ne regarde pas doesn't look/watch

la **neige** snow

neige: Il neige. It's snowing.

nerveux, nerveuse nervous

la **nervosité** nervousness

n'est-ce pas? don't you think (so)? isn't that so?

neuf nine

un **nez** nose

un **nid** nest

noir(e) black

un **nom** name

un **nombre** number

non no

le **nord** north

normal: c'est normal that's normal/typical

normalement normally, usually

nos our

nouveau, nouveaux; nouvelle, nouvelles new

les **nouvelles** news

novembre November

nuageux: C'est nuageux. It's cloudy (weather).

un **numéro** number; **numéro de téléphone** telephone number; **Quel est ton numéro de téléphone?** What is your telephone number?

O

observer to observe, to study

Observe bien! Observe carefully!

un **océan** ocean

l'**océan Atlantique** Atlantic Ocean

l'**océan Pacifique** Pacific Ocean

octobre October

un **œuf** egg

Oh là là! Wow!

une **oie** goose

un **oiseau (des oiseaux)** bird

onze eleven

l'**ordre** order

un **orignal (des orignaux)** moose

ou or; **ou bien** or else

où where; **où est** where is; **où sont** where are

l'**ouest** west

oui yes

un **ours** bear

P

des **palmes** flippers

papa dad, daddy

le **papier** paper

un **papillon** butterfly

un **paradis** paradise

un **parc** park

parce que because

Pardon? Excuse/Pardon me?

parler to speak, to talk (about)

parlons let's talk (about)

un **pas** step

passe un tour miss a turn

un **passe-temps** hobby

passent spend

une **patte** paw

pauvre poor

pendant: pendant huit heures for eight hours

perdu: s'est perdu got lost

un **père** father

un **perroquet** parrot

une **perruche** budgie

persiste persists, keeps on

une **personne** person

personnel, personnelle personal

pèse weighs

petit(e) small, little, tiny

peu: un peu a (little) bit

un **pharaon** Pharaoh

une **photo** photo(graph)

une **phrase** sentence

un **pied** foot

une **pieuvre** octopus

un **pique-nique** picnic

une **piscine** swimming pool

une **plage** beach

une **planète** planet

un **plant** seedling

pleut: Il pleut. It's raining.

la **plongée** diving

plonger to dive

le **pluriel** plural

plus tard later

une **poche** pocket; **C'est dans la poche!** It's in the bag!

un **poème** poem

un **poisson** fish

la **Polynésie** Polynesia

un **pompier** fire fighter

pond lays

populaire popular

un **port** port

porter to wear

poser to ask (a question)

une **possibilité** possibility

pour for

pourquoi why

pratiquer to practise

préféré(e) favourite

une **préférence** preference

préférer to prefer

premier first; **le 1er janvier** the first of January; **le premier ministre** Prime Minister

près de near, close to

une **présentation** presentation

présenter to present; to give; to introduce; **Je me présente.** I introduce myself. **Présente-toi!** Introduce yourself!

le **printemps** spring(time)

un **prix** prize; award; **les prix Gémeaux** the Geminis (Canadian TV awards)

un **problème** problem

un(e) **professeur(e)** teacher

progrès: en progrès in progress

un **projet** project

une **publicité (pub)** publicity; advertisement (ad)

pur(e) pure; clean

Q

une **qualité** quality

quand when; **C'est quand ton anniversaire?** When's your birthday?

le **quart de finale** quarter finals

quatorze fourteen

Que de questions! What a lot of questions!

quel, quelle what (a); which; **Quelle horreur!** How/That's horrible!

une **question** question

qu'est-ce que what; **Qu'est-ce que c'est?** What is it/that? **qu'est-ce qu'il y a** what is there

qui who; that; which; **Qui est-ce?** Who is it/that?

quinze fifteen

quoi what

R

la **radio** radio

ramasser to gather, to collect, to pick up

rapide quick, fast

des **rapides** (river) rapids

des **raquettes** snowshoes

des **recherches** research

reçoivent receive

reculer to step backward; to back up

un **rédacteur** editor

refuser to refuse

regarder watch, to look (at); **ne regarde pas** doesn't look

Regarde (ça)! Look (at that)!

regardez-moi watch me

un **renard** fox

rencontrer to meet

réponds answer

une **réponse** answer

156

un **reportage** news report
un **reporter** reporter
un **requin** shark
    rester to stay
    retourner to return, to go back
une **réunion** meeting
un **rêve** dream
    ridicule ridiculous, absurd
    rimer to rhyme
    rire to laugh
une **rivière** river
un **rôle** role, part
un **rongeur** rodent
un **rosier** rose bush
une **roue** wheel; **la roue chanceuse** wheel of
    fortune
    rouge red
une **ruche** beehive
la **Russie** Russia

S

    sa his; her
un **sabre** sword
un **sac** sack, sac
une **salle de classe** classroom
    saluant: en saluant waving; greeting
    Salut! Hi! Hello! 'Bye!
    samedi Saturday
    satisfaisant(e) satisfactory
    sautant: en sautant jumping
    sauter to jump (up)
    sauvage wild
la **savante** the wise one
    Savez-vous...? Do you know how to...?
le **savoir faire** know-how
un(e) **scientifique** scientist
    sculpter to sculpt, to create, to design
    secret, secrète secret
    seize sixteen
    selon according to
une **semaine** week
    sensass sensational, terrific
    sensationnel, sensationnelle sensational,
    terrific
    sept seven
    septembre September
un **serpent** snake
    serviable helpful

    service: à votre service at your service
    ses his; her
    seul(e) only, single
    s'il te/vous plaît please
un **singe** monkey
    situé(e) situated, located
    six six
une **sœur** sister
le **soir** (in the) evening
la **soirée du hockey** hockey night
le **soleil** sun; **Il fait (du) soleil.** It's sunny
    (weather).
une **solution** answer, solution
    sont: ce sont they/those are; **ils/elles sont**
    they are
un **soulier** shoe
    souligner to underline
les **sourcils** eyebrows
une **souris** mouse
    sous under(neath); **sous la mer**
    underwater; **sous la tente** in a tent,
    outdoors
    spécial(e) special
un **spectacle** show, concert, performance
    spectaculaire spectacular, outstanding
    sportif, sportive athletic; fond of sports
une **statue** statue
le **sud** south
    suis: je suis I am
    suivre: à suivre to be continued
    super great, super
    super-fort(e) super-strong
une **superhéroïne** (female) superhero
un **superhéros** (male) superhero
    sur on
une **surprise** surprise
    surtout above all, mainly, especially
un **symbole** symbol
    sympa nice; friendly

T

    ta your
    taper des mains to clap (one's hands)
    taper des pieds to tap one's feet
    tard late; **plus tard** later
    te (to) you
    télé: à la télé on TV
un **téléguide** TV guide

la **télévision** television; **à la télé(vision)** on
    television, on TV

le **temps** time; weather; **il est temps** it's time;
    Quel temps fait-il? What is the weather
    like?

une **tente** tent

    Terre-Neuve Newfoundland

un **têtard** tadpole; **un têtard à deux/quatre**
    pattes two-/four-legged tadpole

    Tiens! Look!

un **tigre** tiger

    timide shy, bashful

la **timidité** shyness, bashfulness

un **titre** title

    toi you; **toi aussi** you too

une **toile (d'araignée)** (spider's) web

    ton your

une **tortue** turtle

    toujours always

un **tour** turn

    tourner to turn (around)

un **tournoi** tournament

    tous all, every

    tout le monde everyone

    toute all; **toute la classe** the whole class

    travailler to work

    treize thirteen

    trente thirty

    trente et un thirty-one

    très very; **Très bien!** Very good! Well done!

    triste sad

la **tristesse** sadness

    trois three

    trop too much; too many

un **trophée** trophy

    tropical, tropicaux; tropicale, tropicales
    tropical

une **troupe** troop; **troupe de scouts** boy scout
    troop

    trouver to find

un **truc** trick

    tu you; **tu vas au lit** you go to bed

U

    un, une a; one

    l'univers universe

V

un **vagabond** tramp (clown)

    Vas-y! Go to it! Get going!

une **vedette** star

    vendredi Friday

    vent: Il fait du vent. It's windy (weather).

un **verbe** verb

    vérifier to check

un **vers** line of poetry

    vert(e) green

un(e) **vétérinaire** veterinarian, vet

    veut: il/elle veut he/she wants

    veux: je/tu veux I/you want

un **vidéoclip** music video

une **ville** town, city

    vingt twenty

un **vire-langue** tongue-twister

un **visage** face

    visite: en visite à visiting

    visiter to visit

    vite fast, quickly

    vivant alive

    Vive ... ! Hurray for...!

    Vivent ... ! Hurray for...!

le **vocabulaire** vocabulary

    voici here is; here are **le voici** here it is

    voilà there is; there are

le **vol** flying; flight

    volant: en volant flying

    voler to fly

    votre your; **à votre service** at your service

    voudrez (will) want

un **voyage** trip

    vrai(e) true

W

un **week-end** weekend; **le week-end**
on the weekend

Y

les **yeux** eyes

    Youppi! Yippee!

Z

    zéro zero

un **zoo** zoo